삶이 미워져도 결국은 찬란하게

삶이 미워져도 결국은 찬란하게

어떤 눈동자

김효민

얼렁뚱땅채작가

앨리스

백선이

막삼(MAXXAM)

임유리

희영

들어가며

 온 세상이 벚꽃의 만개 소식으로 발그스레한 설렘이 가득할 무렵, 막연하게 저마다의 이유로 글을 쓰기 시작했습니다. 절정을 이룬 벚꽃잎이 다 진 후에야 마침내 우리는 낯설었던 여정에 마침표를 찍었습니다.

 세상에 처음으로 내놓는 우리의 글이 행여나 아쉬움으로 남지 않기 위해, 무지한 하얀 바탕이 빼곡한 글자로 가득 채워질 때까지 무용한 것들 사이에서도 그저 스치는 날이 없었습니다. 그럼에도 더 나아가지 못하는 문장 앞에서 때때로 좌절을 겪기도 했습니다. 하지만 마침표를 찍은 후에야 비로소 알게 됩니다. 우리가 써 내려간 글은 결국 오롯이 내가 살아온 삶이라는 것을.

치열하고 복잡한 삶을 살아가며, 우리는 갖가지 이유로 삶이 이따금 따분해지고 미워지기도 했습니다. 그럼에도, 그것이 애증일지라도 글을 통해 다시금 삶을 이해하며 사랑해 보려 합니다.

느리게 써 내려간 문장 뒤에는 천천히 차오르는 여운이 함께 합니다. 마침표에서 짙어진 여운이 이 책을 펼친 독자분들에게 고스란히 닿길 바랍니다.

- 공동저자 中 임유리

차 례

Der Weltschmerz

어떤 눈동자

어떤 눈동자 어릴 적 꿈은 작가와 미친 과학자. 지금은 돌고 돌아 글쓰고 기타 치고 노래하는 것을 좋아하는 화공학도. 예술은 고통을 아름다움으로 바꾸는 연금술이라고 생각하며 오늘도 자아도취와 혐오 그 사이를 유영하고 있다. 일상생활에서는 여러 언어로 기능하지만 글쓰기는 여전히 한국어가 가장 능숙하다. 뜨거운 커피와 코바늘 뜨개질을 즐긴다. 원예도 좋아하지만 반려묘 때문에 자제하는 중.

열역학 2법칙, 고립계의 엔트로피는 감소하지 않는다.

세상이라는 닫힌 계 속에서 엔트로피는 증가할 수밖에 없도록 설정되어 있다는 걸 배웠을 때, 이상하다고 생각했다. 그렇다면 이 세상을 창조한 누군가, 혹은 세계를 여기까지 진화시켜온 무엇인가는, 세계의 존재를 멸망의 법칙 위에 설립한 것인가, 하고.

퇴근 시간이 되어 실험실 문을 나서자 묵직한 회색 하늘이 사각형으로 줄을 지어 늘어선 벽돌 건물들 위로 희뿌연 오후의 빛을 드리우고 있다. 그 두텁고 막막한 구름의 벽은 회사에서 지하철 역까지 오는 동안 동일한 명암과 농도를 유지한 채 멈춤 없이 이어진다. 어제도 내리고 오늘도 내린 비가 아스팔트 바닥 군데군데에 고여 있고, 그 안에는 담배꽁초나 쓰레기 등이 떠있다. 지하철 승강장으로 내려가는 에스컬레이터 옆에 언제나 앉아있는, 흰수염이 텁수룩한 아저씨는 내가 지나가자 오늘도 어김없이 손을 쭉 뻗어 돈 통을 내민다. 나는 오늘도 어김없이 눈길도 동전도 주지 않고 아저씨 앞을 지나쳐간다.

에스컬레이터에서 내려서자 위층의 아저씨와 마찬가지로 언제나 본인의 지정된 자리를 지키고 있는 흑인 남자가 몸을 옹송그리고 누워있다. 그래도 의자에 앉아서 꽤 활달하게 주변 사람들과 이야기를 나누거나 하는 위층 아저씨와는 다르게, 이 남자는 움직이는 것을 거의 본 적이 없다. 옷도 훨씬 더 얇게 입고 있고, 심지어 신발도 신고 있지 않다. 너무 미동도 않고 이불도 신문지도 없이 맨바닥에 누워있어서, 어떨 땐 정말 죽은 건지 어떤 지 걱정이 될 정도다. 하지만 그렇다고 정말로 살아있는지 확인하는 일 따위는 나도, 그리고 역을 이용하는 승객들 중 누구도 하지 않는다. 때때로 걱정 어린 시선을 슬쩍 던지고 지나가긴 하지만, 자신보다 훨씬 더 오지랖이 넓고 그 사람에게서 풍기는 악취를 견딜 수 있고 인류애가 훨씬 더 크고 풍부한 다른 누군가가 대신 해주기를 바랄 뿐이다.

지하철이 오고, 사람들이 내리고, 올라탄다. 일 년 중 팔 개월은 거의 매일같이 비가 내리는 이곳 북독일에서 사람들은 언제나 눅눅하게 젖어 있기 때문에 열차 내에서도 언제나 축축한 누린내와 땀냄새가 난다. 집으로 가기 위해 타는 열차는 함부르크 중앙역으로 향하는 상향선. 역을 하나하나 지나칠 수록 열차 안은 사람들로 점점 가득 찬다. 그리고 오늘도 어김없이 구걸을 하는 사람들이 등장한다. 등장하는 얼굴들은 매일 다르지만, 그들의 레퍼토리는 대부분 동일하다. 노숙자 커뮤니티에서 신참 연수 방식이 정해져 있나 싶을 정도로 비슷비슷하다. 그들은 먼저 큰소리로 그때그때의 시각에 다라 친애하는 승객 여러분들에게 아침이나 오후나 밤인사를 하고 자신의 이름과 나이를 소개하고 잘 곳도 먹을 것도 마실 것도 없는 자신의 처지를 설명한다. 그리고 단 몇 푼이라도 좋으니 인정을 베풀어달라 호소하고 꼭 돈이 아니더라도 음식이나 음료수도 감사히 받겠다고 말한 뒤 열차 복도를 이동하며 한 사람 한 사람 바라보며 누군가 부디 도와달라고 부탁한다. 그렇게 그 사람들이 자리마다 확인을 하며 지나갈 때가 가장 견디기 힘든 순간이다. 나를 포함하여 대부분의 승객들은 손 안의 스마트폰에서 눈길을 떼지 않지만, 구걸하는 사람들은 끈기 있게 같은 행동을 반복하며 열차의 끝까지 나아가고, 마지막으로 문을 나서기 전에도 자신의 말을 들어줘서 고맙고 오늘도 좋은 하루 되시라는 인사를 빼먹지 않는다. 그리고 그들은 땀과 비와 오줌에 찌든 누린내를 객실 안에 남겨두고 다음 열차를 향해 이동한다. 함부르크의 노숙인들은 내가 겪어본 바 유럽의 혹은 독일의 다른 도시와 비교해도 꽤나 예의 바른 편이지만, 그 수는 압도적으로 너무나 많고 나날이 늘어만 가고 있다. 때로는 어리다 싶을 만큼 젊은 사람도, 제대로 걷기도 힘들만큼 나이든 사람들도 보인다. 언젠가 중앙역의 뒤편 거리에서 지팡이에 의지해 선 채 너무나 고통스러운 표정으로 고양이 오줌같이 잔뜩 농축된 오줌을 누던, 부서질 듯이 깡마른 어떤 할머니를 그저 지나친 것이 내게 두고두고 괴로운 기억으로 남았지만, 매일같이 보이는 그런 모습들에 나는 점점 무디어져만 가고, 저들 대부분이 마약에 손을 대는 바람에 스스로 저런 상황에 나앉은 것이라며 합리화를 하는 것에 익숙해져 간다. 역과 그 주변에서 보이는 그들의 수는 발에 채이는 비둘기의 수만큼이나 많고, 비둘기 떼와 별반 다름없는 취급을 받는다. 그리고 그런 그들을 바라보는 내 눈도 점점 차갑고 탁해져만 갈 뿐이다.

지하철은 어느새 중앙역에 도착하고, 나는 승객과 비둘기와 노숙자가 양계장의 닭들처럼 바글대는 플랫폼을 뚫고 다음 갈아탈 열차로 이동한다. 이번에 갈아타서 집으로 향하는 열차는 조금 덜 붐비는 편이라 자리에 앉기가 한결 수월하다. 나는 객실 내 띄엄띄엄 설치된 뉴스 및 광고 전광판이 잘 보이는 곳에 자리를 잡고 앉는다. 한 화면 당 하나씩 짤막짤막하게 뉴스가 흘러나온다. 우크라이나와 가자 지역에서는 여전히 전쟁이 맹위를 떨치고 있다. 추산되는 사망자 수와 고아가 된 어린이들의 수와 부서진 건물의 피해액수가 숫자로 나타났다 사라진다. 다음 뉴스에서는 함부르크 내의 어느 강변에서 신원미상의 시신이 발견되어 경찰이 그 신원을 밝히고자 노력하고 있다는 뉴스나 어떤 30대 남자가 본인의 백 살이 넘은 할머니를 살해하고 곧바로 자수를 해서 경찰에 체포되었다는 뉴스 등이 흘러나온다.

그런 뉴스를 볼 때마다 나는 그렇게 한 두 줄로 요약되어 버리고 마는 삶들에 대해 상상하게 된다. 그 너머에 있을 수밖에 없는, 수 백, 수 천 겹의 삶의 궤적들이 한순간에 소실되어 버리는 그 어떠한 현상에 대해서. 얼마 전에도 그런 일이 있었다. 올해 1월 중순의 일이었다. 작년 12월 초부터 한 달이 넘도록 폭설이 퍼붓고 퍼부어서 독일 전역이 하얀 눈에 파묻히다시피 했던 겨울의 일이었다. 회사 일로 연수를 갈 때면 같은 반이 되어 수업을 듣고 하던, 다른 지역의 다른 회사에 다니던 18살 지인 C가 타고 있던 차가 출근길 빙판에 미끄러져 나무를 들이받았던 사고였다. 그 사고로 해당 차의 운전석에 타고 있던 C는 현장에서 사망했다.

부고는 메신저의 프로필 사진으로 접했다. 노을이 지는 하늘을 배경으로 새들이 날아가고, 사랑하는 C가 신의 곁으로 돌아갔다는 내용의 문구와 함께 그의 생년월일과 사망날짜가 적혀 있었다. 사건 당일로부터 약 2주 정도가 지난 시점이었다. 당시 회사에 있었던 나는 입사 동기 친구에게 이 사건에 대해 더 들은 이야기가 있느냐고 물어보았다. 친구는 교통사고였다는 이야기는 들었는데 더 자세한 건 모른다고 했다. 마침 실험실이 아닌 사무실에 있었던 우리는 그 자리에서 C가 살던 도시를 기준으로 사망 날짜에 해당하는 뉴스를 컴퓨터로 검색해보았다. C가 살던 곳은 인구 20만 정도의 농촌 지역이었기 때문에 검색 조건에 부합하는 뉴스는 클릭 몇 번 만으로 찾아낼 수 있었다. 짤막한 기사였다. 18세 젊은 남성이 오전에 빙판 교통사고로 사망. 대외적으로, 그리고 공식적으로, 그의 삶은 그렇게 요약되어 있었다.

C는 키가 작고 왜소한 남자아이였다. 살짝 기른 머리에 안경을 썼으며 얼굴에는 주근깨 자국이 가득했다. 좋은 쪽으로도 나쁜 쪽으로도 별다른 인상을 남기지 않았고, 큰소리로 떠들거나 웃는 일도 없었다. C와 딱히 접점이 없었던 나는 그와 단 한 번도 대화라는 것을 나눠본 적이 없었으나, 친하게 지내는 무리와 어울릴 때도 그는 언제나 자기 이야기를 하기보다는 다른 사람이 하는 말을 듣고 있던 쪽이었다. 나는 그렇게 조용하고 차분한 C가 눈앞에 닥쳐온 죽음 앞에서 모든 평정을 잃고 필사적으로 저항했을 모습을 상상했다. 브레이크를 밟고 핸들을 꺾고, 어떻게든 자동차를 멈추려 했을 장면을. 하지만 결국 그 모든 저항은 수포로 돌아가고, 그의 몸은 으스러지고 말았다. 그것이 잔혹했다. 살고 싶었던 사람이 죽었어야만 했던 상황이. 그 깡마른 허리를 끊었을 단말마의 충격이.

나는 그 프로필 사진을 바꿨을 누군가에 대해 생각했다. 이미 죽은 아들, 혹은 형제, 혹은 조카의 핸드폰 비밀번호를 어찌저찌 알아내어 (법적으로 엄연히 성인인 타인의 개인정보임에도 불구하고) 메신저에 접속하고 적당한 사진과 문구를 골라 프로필 사진 크기에 맞게 재단하여 올렸을, 그리고 메신저에 수없이 쌓인 일상적인 메시지에 이 아이는 이미 죽었습니다, 라고 말해야 했을 그 누군가에 대해서. 짐작컨대 어머니는 아니었을 것이다. 내가 아는 바, 사회적으로 상식적인 애정을 지닌 가족의 경우, 자식이 부모보다 먼저 죽었을 때 그 이후의 공무를 처리하는 것은 대개 아버지의 역할이었다. 대개의 경우 어머니들은 제대로 일어나 앉지도 못할 정도로 충격을 받고 슬픔에 몸을 가누지 못하니까. 어쩌면 그 또한 사회가 강요하는 성적 역할일 지도 모르지만.

우리는 잠시 말없이 앉아있었다. 먼저 입을 연 것은 동기 친구였다. 이건 저주야, 라고 그녀는 말했다. 작년 9월에 C와 마찬가지로 함께 연수를 들었던 F라는 여자아이가 스스로 목숨을 끊은 사건이 있고 나서 불과 넉 달이 지났을 뿐이었다. 같이 수업을 듣는 그룹 내에서 4개월 간격으로 10대 두 명이 사망하는 일은 전쟁의 포화에서 비껴나 있는 1세계 서유럽 국가에서 쉽게 접하는 우연이 아니었다. 이것이 소설이나 영화였다면 스토리텔링이 진부하고 유치하다고 비난 받았을 것이다. 하지만 이것은 픽션이 아니라 논픽션이었고, 그렇기에 각 사건들이 긴밀한 관계성이나 인과관계를 띠지 않고 마구잡이로 벌어지는 세계였다.

나는 그것을 저주라고 부르고 싶지는 않았다. 그렇게 구역을 나눠버린다면 자의에 의해서든 타의에 의해서든 병원이나 길바닥이나 전쟁터에서 다양한 모습으로 죽어가는 사람들과 안전한 곳에 있는 우리들의 경계를 명확히 나누고 비극은 우리의 것이 아닌 양 행동하는 것처럼 느껴질 것 같았기 때문이다. 실상은 폭력적인 무질서와 무작위성에 모두가 노출되어 있다는 것이 세상의 본질일 지도 모르는 일인데 말이다.

그렇기에 두려워졌다. 그렇기에 불쾌해졌다. 나는 혼란스러운 기분을 안고 업무로 되돌아갔다. 마감기한이 촉박한 프로젝트가 있었다. 금속자재를 사용하지 않으면서 실제 금속과 동일한 효과를 내는 코팅제를 고객이 원하는 색상에 맞게 제조한 뒤 다음주까지 최종 샘플을 확보해야 하는 업무였다. 몇 번을 시도해도 목표하는 색상이 나오지 않아 우리 부서만으로는 힘들겠다고 판단, 같이 일하는 동료와 함께 색배합을 전문으로 하는 부서로 도움을 구하러 갔다. 찾아간 곳에서는 흰머리와 주름이 가득한, 하지만 아직 풍채가 당당한, 누가 봐도 베테랑인 것 같은 분이 계셨다. 아무리 적게 봐도 50대 초반은 되어 보이는 그 분을 사람들은 친근하게 애칭으로 부르며 여러 일을 믿고 맡기고 있었다. 우리가 의뢰한 일도 그 분은 별거 아니라는 듯이 뚝딱 배합해내더니, 코팅제가 오븐에서 경화되는 동안 담배나 피우러 가자며 우리를 흡연 구역으로 이끌었다. 그곳에서 그 분과 같이 간 동료는 이런저런 잡담을 나누었고 나는 딱히 끼어들 말이 없어서 두 사람을 조용히 지켜보기만 했다. 주된 화제는 날씨 얘기, 건강 얘기, 가족 얘기였다. 2월에 접어들면서 폭설은 잦아들었지만 날은 여전히 매섭게 추웠고, 독감이 기승이라 회사에도 병가를 내는 사람들이 많았다. 그 분 역시 바로 지난 주만 해도 본인이 아픈 것은 아니었으나 아직 어린 아이들이 감기에 걸리는 바람에 병가를 썼다고 하셨다. 그냥 그렇게 흘러가는 대화를 멍하니 바라보던 나는 이렇게 한 부서를 책임지고 다른 부서가 의뢰하는 일도 도맡아 하는 사람도 결국 어떤 아이들의 아버지구나, 라는 얼핏 당연한 생각을 당연하지 않게 했다.

이런 백전노장의 베테랑처럼 보이는 남자도 자식의 죽음 앞에서는 무너질 것이다. 출근하겠다고 집을 나선 아들이 그 길로 영원히 다시 돌아오지 않는, 그런 말도 안 되는 일을 겪고도 아무렇지 않은 척 생활을 꾸며낼 수는 없을 것이다. 아내가 죽으면 홀아비, 남편이 죽으면 과부, 부모가 죽으면 고아라고 하는데, 자식이 죽은 부모를 표현하는 단어는 없다고 한다. 그 슬픔과 고통이 너무나 끔찍해서 언어로 표현할 수 없다는 것이 그 이유다. 세상 모든 언어를 다 아는 것이 아니기에 내가 단언할 수 있는 사항은 아니겠으나, 최소한 내가 여태까지 배워온 한국어, 영어, 독일어에서는 그런 단어가 쓰이는 것을 보지 못했다. 어떠한 종류의 특정한 아픔은 결국 인종과 문화와 시간을 뛰어넘어 누구도 입에 담고 싶지 않을 만큼 거대한 것이리라. 그리고 그렇게 거대한 상실을 가능하게 하는 것은 결국 그만큼 거대한 사랑이 선행되었기 때문이라는 것을 생각하자 불현듯 너무나 슬퍼지고 너무나 두려워져서, 거기 모인 사람들을 하나하나 붙잡고 세상이 이렇게 깨질 듯이 위태로운 곳인데 어떻게 다들 소중한 것을 잃을까 두려워서 벌벌 떨지 않고 그 두려움에 미쳐버리지 않고 살 수 있느냐고 소리치고 싶은 충동에 휩싸였다.

나는 평생 동안 아주 열심히 사랑을 찾아다녔다. 그리고 그 사랑을 찾은 지금, 두 사람이 짝을 이루는 것에서 한 발 더 나아가 아이를 낳고 더 큰 사랑을 경험해보고 싶은 소망이 생겼다. 하지만 이런 식으로 누군가에게 더없이 소중한 것이 덧없이 사라져버리는 매일을 목격하고 있자면 모든 자신감이 송두리째 사라지고, 그냥 누군가와 깊은 유대를 맺을 생각을 관두는 것이 나를 지키는 길이 아닐까 하는 두려움이 피어오른다. 혼자였으면 대충 때웠을 끼니도 정성스럽게 챙겨주고 싶고, 다소 비싸더라도 보다 안전하고 안락한 생활을 제공해주고 싶은 누군가가 있기에 그저 마냥 자고 싶고 놀고 싶을 때에도 몸을 일으켜 일을 하러 가게 되는 것 또한 사실이지만 말이다. 사랑은 우리의 고단한 걸음걸이를 앞으로 나아가게 하지만, 그렇게 세상을 돌아가게 하는 사람들이 비극이 닥쳤을 때는 외려 그 사랑 때문에 더 고통받는 것이 아닌가 싶었다.

상념은 내 몸을 싣고 달리는 지하철처럼 줄줄이 이어지고 열차는 터널을 통과한다. 선로마다 그득그득 쌓여 운행을 방해하던 눈은 흔적도 없이 사라지고 그 자리엔 빗물만이 고여 반짝인다. 아직도 공기는 차갑지만 그래도 4월이 되었다고 3월에 피었던 꽃은 모두 떨어지고 그 자리에는 보드라운 연둣빛 잎사귀들이 비를 흠뻑 머금은 채 늘어져 있다. 이제 C의 가족들은 다시 겨울이 돌아왔을 때 찾아올 눈을 예전처럼 아름답게 바라보지는 못하게 되겠지. 계절은 돌고돌아 기일들이 찾아온다. 나의 생일은 여름에서 가을로 넘어가는 길목인 9월의 끝자락에 위치해 있다. 그날은 6년 전 봄에 자살한 사촌오빠의 동생이 첫아들을 낳은 날이기도 하고, C와 마찬가지로 같이 연수를 듣던 같은 반의 F가 19살의 나이로 자살한 날이기도 하다. 여러모로 작위적일 정도의 우연이 겹친 날이다. 어쩔 수 없다. 이곳은 무작위성이

증가하는 세계이니까.

　있는 듯 없는 듯했던 C와 달리 F는 초반부터 모든 이의 주목을 끌었다. 백인에게 흔한 붉은 기나 잡티도 없이 투명하게 뽀얗고 새하얀 피부에, 그와 대조되도록 새카맣게 염색한 긴 머리, 10살짜리 초등학생보다도 가늘어 보이는 허리. 그 좁다란 공간 안에 오장육부와 척추 뼈가 다 들어가 있다는 것이 믿기지 않을 지경으로 바싹 마른 그 허리를 F는 겨울에도 과감하게 내놓고 다니는 패션을 고수했으며, 코와 귀와 배꼽에는 화려한 피어싱을 주렁주렁 매달아 놓았고 눈두덩이에는 항상 검은색 혹은 붉은색 아이섀도를 짙게 칠한 채였다. 그것만으로도 눈길을 확 끄는 퇴폐미를 지닌 미인이었지만, 사실 그 모든 것보다도 더더욱 눈길을 끈 것은 그녀의 뽀얀 팔과 다리에 붉게 도드라진 자해 흉터들이었다. 그것들은 단순히 한 번 베였다가 아문 자상처럼 보이지 않았다. 제법 두껍고 길게, 마치 피부를 일정 크기로 도려내기라도 한 것처럼 조직이 붉게 형성되어 튀어나온 흉터들이 그녀의 손목과 발목, 위팔 안쪽을 빼곡히 뒤덮고 있었다. 저렇게 살이 튀어나올 정도면 꽤 깊이 베였어야 할 텐데, 손목과 발목에 있는 섬세한 신경이나 힘줄까지 다치지는 않았을 지 걱정이 될 정도로 붉고 크고 선명한 흉터들이었다.

　그런 식으로 육체에 여실히 드러난 마음의 상처를 보면, 당연한 이야기지만 거기에 대해서 누구도 쉽사리 언급을 할 수가 없게 된다. 우리 모두는 그 상처를 보았고, 그 존재를 익히 알고 있었고, 그렇지만 누구도 쉽게 말을 꺼내지 못했고, 그렇기에 그녀가 다양한 정신과 치료 약물을 복용하고 있다는 것에 전혀 놀라지 않았고, 더 나아가 그녀가 그 약들을 암암리에 다른 학생들에게 돈을 받고 팔거나 때때로 쉬는 시간 화장실에서 코카인을 하고 돌아온다는 소문이 돌아도 별로 놀라지 않았다. 그렇다고 그녀가 남들에게 피해를 주거나 누군가를 괴롭히거나 수업에 불성실한 것은 아니었고, 같이 친하게 어울려 다니는 사람들도 여럿 되었다. 그녀의 사생활에 대해서는 전혀 아는 바가 없는 나는, 그저 시간이 지날수록 그녀가 지닌 흉터들의 붉은 기가 조금씩 옅어지는 것을 보며 그녀의 마음을 집어삼킨 어둠이 점점 옅어지고 엷어져 한낱 과거로 치부해버릴 수 있는 것이 되었으면 좋겠다는 생각을 할 뿐이었다. 여름이 다가오고 있었고, 서유럽의 태양은 오후 10시까지 빛나고 있었고, 늘어나는 일조량과 더불어 많은 사람들의 우울 장애들이 자연스럽게 호전되는 시기였다.

그러나 여름이 끝나가는 가을의 입구에서 그녀는 우울증 약과 신경안정제를 과다복용함으로써 19년 인생에 스스로 종지부를 찍었다. 퇴근 후의 목요일 저녁, 본인의 방 안에서. 그때 나는 함부르크에서 생애 최고의 생일을 누리고 있었다. 나의 약혼자는 회사에 반차까지 써가면서 내게 깜짝 생일선물을 가져다주었고, 저녁식사를 예약해둔 식당에 미리 꽃다발을 가져다 놓아 나를 또 한 번 놀라게 했다. 생일 축하나 파티에 딱히 욕심이 없어서 지난 몇 년 간 손수 미역국을 끓

여먹고 가족 및 친구들과 인사를 주고받는 것으로 생일을 보내온 나는 그렇게 호사스러운 축하에 몸둘 바를 모를 지경이었다. 나의 탄생과 삶은 그렇게 힘껏 긍정되고 축하받고 있었다. 그리고 같은 시각 F는 지금까지의 삶과 앞으로의 미래 전부를 부정하는 길을 택했다. 그 극렬한 대비가 혼란스러웠다. 그것은 비극과 희극이 동시다발적으로 일어나고 있다는 것, 엄연한 사실임에도 부조리하게 느껴지는 현상에 대한 상기였다.

F와 같은 회사에서 근무하던 동료들의 말에 따르면 (그 아이들도 16살, 17살이었다) 본인들도, 그리고 F의 가족들도 그녀의 죽음이 완전히 예상 밖의 일은 아니었다고 했다. 그녀는 이미 너무 오래 힘들어했고, 그것은 그녀의 가족과 주변 사람들도 마찬가지였다. 하지만 예상했던 일이라고 해서 괴롭지 않은 것은 아닐 터였다. 하늘이 무너지는 듯한 충격이나, 영혼을 오래도록 말라 비틀어지게 한 고통이나, 아픈 것은 아픈 것이니까. 우울증 역시 질병이기에, 그녀의 가족들은 증상이 위독한 환자의 곁에서 몇 년 간 함께 투병 생활을 견뎌온 것이다.

부고를 접한 날은 F의 사망일로부터 2주 정도 지난, 하늘이 새파랗고 바람이 선선하며 햇빛이 부드러운 10월 초의 어느 아침이었다. 탈듯이 건조한 여름이 끝나고 본격적으로 비가 쏟아지기 시작하는 독일의 가을답지 않게, 마치 한국의 10월처럼 밝고 맑은 날이었다. 그날도 예정대로라면 연수를 들었어야 했으나, 애도를 위하여 그날의 수업은 취소되었고 우리는 일찍 숙소로 돌아갔다. 나는 내 방에 도착해 창문을 열고 바깥 풍경을 내다보며 점심을 먹었다. 음식은 아주 맛있었고 푸른 하늘로부터 불어오는 차갑지도 뜨겁지도 않은 바람에 마음이 설렜다. 아직 색이 바뀌지 않은 초록색 나뭇잎들 위로 반짝이는 햇빛이 물결처럼 흘러내리고 있었다. 현실은 다시 한번 부조리했다. 빛의 세기나 각도마저도 사건을 더 잘 표현하기 위해 적재적소에 배치되는 픽션의 세계와 달리 이곳에서는 개개인의 비극과 상관없이 세상이 눈부신 아름다움을 뽐내고 있었다. 그렇기에 그것은 희망이 될 수도 있었다. F가 2주만 더 견뎌낼 수 있었다면 이렇게 상냥하고 다정하고 화사한 가을날에 가슴이 설렐 수도 있었다. 깜짝 놀랄 만큼 맛있는 음식을 먹고 만족스러운 미소를 지을 수도 있었다. 하지만 절망이 그녀의 눈을 가려 세상의 아름다움을 보지 못하게 만들었고, 이토록 무질서한 세계에 오직 고통만이 유일한 질서라고 믿게 만들었다. 사실 세계는 우리가 생각할 수 있는 것보다 훨씬 더 상상력이 풍부한 곳일 텐데. 깊은 안타까움이 스며들었다. 슬픔에 눈이 가려져 이미 우리 곁을 떠난 사람들과, 지금도 보지 못하고 있을 그 모든 사람들에 대해.

사실 죽고 싶어하는 사람들은 잘 살고 싶어하는 사람들이다. 자신에게 그리고 세상에게 바라는 바가 많으니 그것이 좌절되었을 때 더 큰 고통을 받는 것이다. 만족하며 살기 위해서는 사실 삶의 의미 같은 건 생각하지 않고 사는 편이 좋다. 인간들이 이루고 싶은 이상이라든가 정의를 향한 갈망 같은 것을 생각할 수 없을 정도로 멍청할 수 있었다면 인간들은 좀더 행복하게 살 수 있었을까. 자살 같은 건 하지 않고 살아가는 다른 숱한 동물들처럼. 이런 만약의 상황을 가정하는 것도 인간이기에 가능한 일이지만.

지하철이 서서히 감속하며 나의 목적지에 정차한다. 나는 사람들과, 그 사람들 하나하나가 짊어지고 다니는 생활이 가득 실린 지하철을 비집고 빠져나오며 죽음에 대해 생각한다. C와, F와, 6년 전 봄에 자살한 사촌오빠와, 그리고 딸을 만리타향 독일에 둔 채 한국에서 점점 나이가 들어가시는 어머니와 아버지를 생각한다. 자식의 죽음을 겪는 부모와, 부모의 죽음을 겪어야 할 자식들에 대해 생각한다.

6년 전 나는 서울에 살고 있었다. 그때의 나 역시 절망에 눈이 가려진 사람이었다. 진로에 대해 자신도 확신도 없었으며, 돈도 사랑도 희망도 나의 것이 아니라고 굳게 믿었다. 공황이 찾아오면 죽음에 대한 공포로 벌벌 떨면서도 때때로 발작처럼 자살 충동에 시달리던, 누구도 부여하지 않은 시간제한을 스스로의 삶에 걸어두고 하루하루 술과 음악에서만 위로를 찾던 그런 날들이었다. 그럼에도 아픈 건 무서워서 죽지 못한다고 생각하며 살아가던 그때, 사촌오빠가 자살하는 사건이 벌어졌다. 그 오빠는 평생 동안 집안의 자랑이었으며, 내가 개인적으로 친분이 있는 사람 중 가장 엄친아라는 개념에 근접한 존재였다. 공부도 운동도 효도도 잘했고, 심지어 키도 크고 몸도 좋았다. 몇 년째 모두가 부러워하는 직장에서 별 문제없이 일하고 있었고, 신앙활동도 열심히 했으며, 사망 12일 전에는 임신한 여자친구와 결혼식까지 올린 상태였다. 그런데 어느 퇴근길 저녁, 24층 건물 옥상에서 뛰어내려버렸다. 마침 하교 시간과 맞물린 즈음이라 근처에서 하교하던 중학생들 중 다수가 사건 현장을 목격하기도 했다.

부고는 그로부터 이틀 뒤 빈소가 차려진 후 어머니가 전화로 전해주셨다. 아침 출근 전 알람이 울리기도 전에 전화벨이 먼저 울렸고, 받아보니 어머니가 울음을 참느라 목이 메어 있었다. 처음에는 교통사고라고 했다. 그것만으로도 발 아래에 거대한 균열이 생겨나 입을 쩍 벌린 느낌이었다. 신혼 12일 차에 교통사고로 신랑이 사망하다니, 그런 일이 가능하다면, 도대체 앞으로 미래라는 것을 믿을 자신이 없었다. 하지만 그날 저녁 빈소에 도착하니 사실은 자살이었다는 것을 알게 되었다.

그곳에서 나는 울부짖는 어머니들을 보았다. 구석에 숨어 우는 성인 남자들을 보았다. 내겐 큰어머니가 되시는 오빠의 어머니는 일어서지도 못해 휠체어에 실려 나가는 도중에도 울부짖음을 멈추지 못했고, 큰아버지께서는 끝까지 큰어머니를 돌보시고 조문객들을 맞이하시면서도, 밤이 되어 빈소 뒤편 방에서 가족들끼리 잠에 들자 이불도 베개도 없이 방바닥에 누운 채로 꿈속에서 비명을 지르셨다. 오빠의 아내는 검은 옷을 입은 채 그냥 바닥에 널부러져 있었다. 그 와중에도 사람들은 누구의 잘못이네 뭐가 원인이네 하고 손가락질을 하고 수군댔다. 간간이 욕설도 들려왔다. 그리고 다시 울부짖음이 들려왔다. 장례식이 끝난 후, 나는 그 이후 한 달 정도는 누군가가 웃는 소리도 우는 소리처럼 들려 화들짝 놀랐고, 그것은 나의 부모님도 마찬가지였다. 나는 고층 건물이 보일 때마다 층수를 세서 24층의 높이를 확인했다. 높았다. 때로는 그 높이에서 사람이 떨어졌을 때 받게 될 충격량을 계산해보기도 했다. 계산식은 언제나 압도적인 숫자를 결과값으로서 보여주었다.

그때 그곳, 그 장례식장에서 나는 자살이라는 것의 파괴력을 확인했다. 그리고 결심했다. 살아야겠구나, 라고. 아주 오래오래 살아서, 나의 어머니 아버지를 모두 보내드린 후에야 죽을 수 있겠다고. 하지만 그렇게 한다면, 나는 그분들의 죽음을 겪어야만 한다. 그것은 너무나 아득하고 거대한 상실이다. 그분들의 상실을 미리 두려워할 수 있다는 것만으로도 나는 운이 좋은 사람이라는 것을 안다. 세상에는 너무나도 태연한 얼굴로 아이들의 영혼을 죽이는 부모들이 널려 있으니까. 나는 사랑을 받았고, 사랑을 배웠고, 그렇기에 그 사랑이 소실되었을 때 고통받기로 예정되어 있는 것이다.

죽음이 무엇인지 인류는 아직 밝혀내지 못했다. 여러 과학적, 종교적, 경험적 가설들이 존재하지만 그 무엇도 아직 확정된 바는 없다.

다만 아주 오랫동안의 이별인 것으로 사회적 합의는 어느 정도 이루어져 있는 것 같다. 영원한 이별, 이라고도 표현되지만, 그것 역시 그저 아주 긴 시간 동안을 표현한 것에 지나지 않는다고 생각한다.

실제의 영원이란 너무 길기 때문이다. 최초의 양서류가 땅 위에 올라와 점액으로 뒤덮인 눈을 번득이며 달을 올려다보았던 밤까지 거슬러 올라가도 영원은 아니다. 그러니 영원한 이별이라니, 그런 말은 입에 담을 수 없다. 진짜 영원이란 개념은 인간의 인지범위 밖에 존재하는 무한이다. 모르긴 해도 어렴풋이 상상만 할 수 있는 가상의 일로 남겨두는 편이 낫다. 그 영원한 시간 동안 이별해야 한다는 것을 정말로 오롯이 이해하게 된다면, 살면서 맞이해야 하는 무수한 죽음을 견뎌낼 수 있는 인간은 아무도 없을 테니까. 영원한 이별이라는 죽음을 진짜로 이해할 수 있는 인간이 있다면, 그는 분명 그 아득한 절망에 발광해버리고 말 것이다. 그렇기에 우리는 말한다. 다음 생에서 다시 만나요. 심판의 날에 다시 부활하자. 우리는 그렇게 영원을 부정하고 죽음 또한 어떠한 유한한 것, 재회가 예정된 것으로 받아들이고 싶어 한다. 그렇게 믿을 수밖에 없다. 정말로 영원이라면, 그것은 믿을 수 없는 시간이다.

그러니 50억년, 아니 1억년, 아니 백만 년쯤 뒤에는 다시 만날 수 있었으면 좋겠다. 흙으로 돌아간 우리의 재가 다시 꾸물꾸물 진흙이 되고, 진흙에 다시 눈이 떠지고, 숨을 쉬고 피가 돌고, 무수한 오류와 선택을 거쳐 다시 정확하고 정밀하게 우리의 자아가 빚어져, 그것이 부모의 연이든, 친구의 연이든, 연인의 연이든, 다시 만날 수 있었으면 좋겠다. 고도로 중첩된 우연이 정교하게 작용하는 세계니까, 온갖 가능성이 난무하는 세계니까, 그런 소망을 품어봐도 과히 나쁘지는 않을 것이다.

지하철 역의 인파를 헤치고 빠져나오자 순식간에 차분해진 거리의 풍경이 고요하게 눈앞에 펼쳐진다. 비가 내린 후의 깨질 듯 차갑고 맑은 공기가 피부에 내려앉는다. April macht was er will (4월은 자기 하고 싶은 대로 한다)는 말에 걸맞게 두터운 구름의 장막이 어느새 얇은 솜처럼 바람에 찢겨 흩어져 있다. 그 사이로 기울어지는 태양이 화려한 서광을 붉게 드리운다. 그 빛이 눈부셔 미처 적응하지 못한 눈을 꽉 감는다. 그럼에도 눈꺼풀이 일순 주황색으로 번쩍일 정도로 햇빛이 내리 꽂힌다. 이제껏 울적한 상념에 잠겨 있던 의식과 달리, 몇만 년에 걸쳐 프로그램된 나의 세포들은 작열하는 햇빛에 환호한다. 피부 위로 스며드는 태양빛에 자동적으로 환희하고, 즉각적으로 감정이 고양하고 마는 나 역시, 몇 백만 년 전의 도마뱀보다 그렇게 고등한 존재는 아닐지도 모르겠다. 그러니 이제 죽음에 대한 생각은 이쯤 해두고, 십 분 뒤의 일도 그다지 걱정하지 않을 한 마리 도마뱀처럼 보금자리로 발길을 옮기기로 한다. 문득 듣고 싶은 노래가 있어 이어폰을 끼고 음악을 재생한다. 조용히 입술을 움직여 가사를 읊조려본다.

死しぬことばかり考かんがえてしまうのは

きっと生いきる事ことに真面目まじめすぎるから

죽을 생각만 하고 마는 것은

분명 살아가는 것에 너무 진지하기 때문이야

-아마자라시, 내가 죽으려고 생각한 것은

목숨이 두 개라면 한 번은 죽어볼 텐데

김효민

김효민　꿈이 몇 번씩 바뀌던 어린 시절을 지나왔지만, 어느 순간부터 무얼 하고 싶은지 모르는 어른이 되어버렸다. 어릴 적 장래 희망 칸에 썼던 직업들을 떠올리며 한 번이라도 꿈꿨던 일에 하나씩 다가가 보는 중이다. 초등학생 시절 잠깐 작가가 되고 싶었다는 이유만으로 생애 처음으로 긴 글쓰기에 도전해 보았다. 언젠가 글을 쓴다면 꼭 넣고 싶었던 소중한 제목도 붙였다. 여러 길을 가 보다 남들보다 늦어져도, 꿋꿋이 나아가 나는 내가 될 것이다.

네모난 건물, 네모난 책상, 네모난 모니터, 네모난 사람들······. 네모 회사에는 네모 인간만이 다닐 수 있다. 동그라미 인간이면서 네모로 위장 취업을 한 나는 오늘도 네모처럼 보이기 위해 억지로 네 개의 꼭짓점을 만들어낸 후 회사에 들어간다. 네모 의자에서 미끄러지지 않기 위해 신경을 곤두세운다. 네모 본체를 켜고 모니터가 켜지는 걸 기다리는 동안 네모 서류를 검토한다.

"강새나 씨! 내 자리로 와요."

네모 과장이 나를 크게 부른다. 깜짝 놀라 동그라미가 될 뻔했다. 쭈뼛대며 네모 과장 앞에 섰다. 과장은 나보다 훨씬 커서 앞에만 서면 자꾸 주눅이 든다. 네모 서류에 무슨 문제가 있다며 나를 다그친다. 안 그래도 큰 네모 과장이 점점 더 커진다. 내가 한 부분이 아니라고, 말이라도 해야 하는데 입이 떨어지지 않는다. 긴장한 나는 힘이 풀리고 자꾸만 작아진다. 꼭짓점이 둥글어지고 결국 동그라미가 된다. 안 되는데, 안 되는데······. 부서의 모든 네모 인간이 나를 둘러싼다. 알고 보니 동그라미였네. 저럴 줄 알았다. 모두가 나를 향해 수군대며 손가락질한다. 나는 그들에게 한 줌 먼지처럼 보일 만큼 작아진다. 가위바위보에서는 항상 보자기가 주먹을 이긴다. 그리고 현실에서도 동그라미는 절대 네모를 이길 수 없다. 더 이상 작아지면 사라져 버릴 것만 같다. 숨이 잘 안 쉬어진다. 숨이…… 막혀온다. 숨이…… 더 이상……,

　아…… 또 그 꿈이다. 그 삶에서 벗어난 지 2년이 지났는데 아직도 가끔 악몽을 꾼다. 어제처럼 기분이 좋지 않은 날엔 부지기수다. 오전 11시. 또 알람을 못 듣고 자버렸다. 창밖을 보니 벌써 세상이 분주하다. 창 너머를 높은 시선에서 바라보다 보면, 시간이 규정한 하루와 나의 하루는 별개 같다는 생각이 든다. 내가 언제 어떻게 어떤 하루를 보내도 매일 같은 시간에 같은 해가 뜨고 같은 모습이 펼쳐진다. 이런 생각이 들 때면 어딘가 모르게 세상과 동떨어진 느낌이다. 1시 수업에 늦지 않으려면 빠르게 준비해야 한다. 오전 시간을 유용하게 쓰고 싶다는 다짐은 오늘도 좌절됐다. 내 아침은 항상 이런 식이다. 그래도 늦지 않게 도착하면 다행인데, 가끔 시간에 쫓겨 택시를 탄다. 그리고 오늘도.
　"안녕하세요.."
　12시 58분. 세이프다. 익숙한 사람들 사이에 섞여 멀쩡한 하루를 시작한 척하는 데 성공했다. 오늘 수업은 각자 독백 대사를 준비해 발표하는 것. 학원에 다니는 동안 남들 앞에서 발표는 수도 없이 해왔지만, 할 때마다 긴장감으로 손에 땀을 쥔다. 이래서는 무슨 배우를 하겠다고. 수업이 끝나고 한 달에 한 번 있는 선생님과의 면담 시간을 가졌다. 사실 나는 연기를 배우는 것보다 이 시간이 더 어렵다. 나를 말하는 시간. 나를 알아야 연기를 할 수 있다고 수도 없이 들었지만, 나는 극 중 인물보다 나를 해석하는 게 가장 힘들다. 오늘 선생님은 나의 어릴 적부터 지금까지의 삶에 대해 처음 보는 사람에게 소개하듯이 자유롭게 이야기해 보라고 하셨다. 나를 더 깊이 알기 위해서는 지난 시간을 잘 이해하고 인지하고 있는 게 중요하다고 하셨다.

"제 이름은 강새나예요. 새가 나는 것처럼 자유롭고 아름다우라는 뜻이래요. 27년 전 1월 2일, 전라도 광주에서 태어났죠. 남들처럼 평범하게 정규 교육 과정을 마치고, 집과 멀지 않은 지역의 4년제 대학 경영학과에 입학해서 다이렉트로 졸업했어요. 그다음엔 회사의 사무직으로 취직했다가 2년 일하고 그만뒀고, 지금 3년째 연기를 공부하고 있네요."

30초면 끝날 이야기로 두 시간을 끌어가려니 죽을 맛이었다. 더 이상 할 얘기는 딱히 없는데. 진짜 없어요. 잘 기억이 안 나요……. 사실 얘기하고 싶지 않은 쪽이 가깝겠지만.

희미해진 어릴 적은 말 그대로 딱히 특별할 게 없었다. 아주 부족하진 않지만 그렇다고 넉넉하지도 않은 집안, 보수적인 부모님 밑에서 태어나 고등학교까지 그럭저럭 졸업하고 성적에 맞춰 대학에 갔다. 하고 싶은 게 딱히 없었다. 없었나? 있었던 것도 같은데, 대학에 갈 무렵엔 별로 상관이 없어졌다. 무용이 하고 싶었던 꼬꼬마 때는 집안 형편에 비해 돈이 너무 많이 든다는 이유로 자연스레 그만두었던 것 같고, 작가가 되고 싶었던 중학생 무렵엔 글로는 많은 돈을 벌기 힘들다며 부모님의 반대가 심했다. 고1 땐 수영을 잠깐 하다가 부상으로 그만뒀다. 부상이 아니었어도 선수가 되기엔 턱없이 늦은 나이에, 눈에 띄는 실력도 아니었기에 언젠간 그만뒀을 테다. 나는 하고 싶은 일을 모두 할 수 있는 건 아니라는 것을 일찍이 알았다. 그래서 의미가 없어졌다. 욕심이 없어졌다. 딱히 빼어난 재능도 없다고 생각했기에 적당한 직업에 적당한 연봉이면 나름 괜찮지 않을까 했다. 성적도 보통이고 외모도 평범하고 성격도 무난한 나는 그렇게 보통으로 사는 게 딱 어울리는 것 같았다. 그래서 어디든 취직할 수 있는 길이 넓은 경영학과를 졸업했고, 평범한 사무직 직원이 되었다.

사무직은 흔한 직업이니까 나도 그럭저럭 잘 지낼 줄 알았다. 첫 직장을 힘겹게 버틴 기억만 가지고 도망치듯 그만두게 될 줄은 상상도 못 했다. 처음 6개월은 적응을 못했다. 직장생활이라는 게 다 그렇지만, 나는 왜 배우지도 않은 걸 눈치로 알아야 하고, 상사의 비위를 맞춰야 하며, 옳지 않은 일을 묵인해야 하는지 납득이 안 됐다. 머리로는 아는데 마음이 따라주지 않았다. 그 생활이 익숙해질 무렵엔 업무가 나를 괴롭혔다. 원래부터 별의별 업무를 다 맡긴 했지만, 일이 가중되며 도통 내가 뭐 하는 사람인지 모르겠다는 생각이 들었다. 업무에 대한 이해를 완벽하게 하지 못해도 일을 해내야 하는 상황에는 눈앞이 아득해졌다. 애초에 나는 짧은 시간에 빠른 습득을 할 수 있는 사람이 아니었다. 잘 할 만하면 남이 잘못한 일까지 책임을 져야 하는 상황이 생기니 잘하는 사람이 될 수 없었다. 그래도 견디고 싶었다.

나도 버텨내고 일어날 수 있다는 걸 보여주고 싶었는데, 마음처럼 되지 않았다. 나는 어느새 일을 못 하는 사람으로 낙인찍혀있었고, 일주일에 삼일 이상은 상사에게 깨졌으며, 회사 사람의 눈을 보고 말을 하는 것조차 힘들었다. 일하는 게 지옥 같았다. 아침에 일어나는 게 무서웠다. 회사 창문이 감옥 창살 같았다. 부수고 뛰어내리고 싶었다.

그 무렵 우연히 연극 한 편을 보게 되었다. 1930년대 스페인을 배경으로 한 정극이었는데, 이 공연은 내가 연기를 하게 된 시발점 역할을 해 주었다. 무대 위에서 연기하는 배우들이 너무나도 행복해 보였다. 겪어보지도 못한 시대에 외국 배경인데도 진짜 그 시대 그 나라의 사람들 같았다. 연기하는 모두가 살아있는 눈빛을 가진 듯한 느낌이 들어 왠지 모르게 마음이 아려왔다. 커튼콜 때는 모든 배우가 기쁨과 감동의 눈물을 흘렸다. 연기가 뭐길래, 저들에게 그게 도대체 뭐길래 저렇게 울 수 있는 걸까. 궁금해졌다. 경험하고 싶어졌다. 나도 살아있는 눈빛을 가지고 싶어졌다. 배우가 되고 싶어졌다.

그렇게 서울에 올라와 연기학원에 다니기 시작했다. 스물여섯이라는 나이에 처음 새로운 분야에 도전하는 것은 무서웠지만 그래도 설렜다. 인생에서 유일하게 내 의지만으로 밀어붙인 결정이었다. 열심히 했다. 남들의 기준에선 어떨지 모르지만 무언가를 열심히 해 본 기억이 드문 나에게는 열심히가 맞았다. 나는 연기에 유리한 조건을 가진 편은 아니었다. 학원에 다니며 수많은 사람을 보니까 알았다. 대본만 읽어도 눈물이 줄줄 나는 사람, 발음과 목소리가 연기에 특화된 사람, 외모가 출중한 사람 등을 쉽게 찾아볼 수 있었다. 나는 그 무엇도 아니었지만, 그래도 노력하면 느는 정도는 되었으니 일단 열심히 했다. 수업 커리큘럼을 모두 따라가고 오디션을 수도 없이 봤다. 꽉 채운 3년 동안 최종까지는 가도 캐스팅된 적은 없었다. 하긴 나여도 나를 캐스팅하진 않을 것 같다. 실력이 늘었다 해도 솔직히 나만큼 연기하는 배우는 많으니까. 좋은 대학에 턱턱 붙는 고3 입시생들, 오디션에 합격해 데뷔 타이틀을 달고 떠나가는 신인배우들 사이에 나는 그저 나이 많은 준비생 그 이상도 이하도 아니었다. 더 특별하고 가능성이 많은 사람에게 기회가 많이 주어지는 현실은 어쩔 수 없었다. 그래서 나는 이때까지 이렇다 할 결실이 없다. 해봐야 무수한 단역 경험이 전부다. 힘을 내려고 해봐도 요즘은 자꾸만 지친다. 마음이 흔들린다. 그만하는 게 맞나. 이쯤 하면 할 만큼 했나. 역시 하고 싶은 일을 모두 할 수는 없나. 기운이 빠지고, 열정도 사라진다. 내가 이제 연기를 재밌어하긴 하는 건지. 그런데 그만둘 수도 없다. 회사로 돌아가기는 죽어도 싫고, 다른 건 할 줄 아는 게 없다. 이대로 그만두면 나는 나이만 먹은 스물여덟이 될 뿐이다.

이런 얘기를 선생님에게 할 수는 없었다. 하고 싶지 않았다. 말하지 않아도 알고 있는 현실을 입 밖으로 꺼냄으로써 굳이 한 번 더 비참해지고 싶지 않았다. 나의 삶에 대해 얘기해 보라는데 비참하다니. 대체 무슨 삶을 살아온 건지.

면담을 대충 마무리하고 나오는 길에 선생님이 나를 붙잡았다.

"새나 씨! 내일모레 이초롱 감독님 작품 오디션 보러 가죠?"

"네."

"마지막까지 잘 준비해 봐요. 이번 작품 왠지 새나 씨랑 잘 어울려요. 느낌이 좋아."

"감사합니다. 열심히 해 볼게요."

열심히 해 볼게요. 매번 한 말이지만 그래도 한 번 더 열심히 해 본다. 이초롱 감독님은 내가 가장 존경하는 분이니까. 명성을 크게 얻은 정도는 아니지만 그녀의 예술성과 작품성은 따라갈 사람이 없다고 생각한다. 감독님의 작품들은 배우를 준비하며 나에게 가장 많은 영감을 주었다. '이 감독의 작품은 곧 포텐이 터질 것이다. 그녀는 분명 세계의 거장이 될 것이다.' 어느 평론가가 한 말이다. 나는 이 말에 전적으로 동의한다.

......

오디션 당일, 감독님은 내 연기를 보고 한동안 나를 뚫어져라 쳐다보더니 일주일 뒤에 한 번 더 오라고 말씀하셨다. 3차 오디션은 기본인 문화와 달리 감독님의 오디션은 1차와 최종뿐이다. 한 번 더 오라는 말은 최종에 오라는 말과 같다. 차분히 대답했지만 날아갈 듯 기뻤다. 오디션 최종에는 몇 번 올라봤으나 존경하는 감독의, 경쟁률 높은 작품의 주연 자리 오디션은 얘기가 달랐다. 일주일간 미친 듯이 준비했다. 감독님의 연출 스타일을 처음부터 다시 정립하며 익히고, 그가 선택한 주연 배우들의 연기 스타일을 공부했다. 조금 더 예뻐 보이고 싶어서 무리한 다이어트도 병행했다. 정신없이 맞이한 최종 오디션에는 네 명의 지원자가 전부였다. 예선 지원자가 천 명이 넘는다고 들었는데, 신의 선택을 받은 기분이었다. 너무 떨려서 무얼 어떻게 했는지 기억도 나지 않는 오디션을 마치고 오디션장을 나왔다. 여느 때처럼 차분하게 연락을 기다리면 된다, 안 되더라도 실망하지 말자는 생각을 머리에 되새겼다.

건물을 나와 집으로 향하는 길에, 오디션장 앞에 연기 노트를 두고 온 사실이 생각났다. 들어가기 전 훑어보다 내려놓고 챙기는 걸 깜빡한 것이다. 빠르게 방향을 틀어 다시 오디션장 건물로 향했다. 늦은 시간이었기에 문을 닫을까 걸음을 재촉했다. 다행히 아직 문을 닫지 않았다. 가슴을 쓸어내리며 노트를 챙겨 내려가는 엘리베이터 버튼을 눌렀다. 엘리베이터를 기다리는데 옆 화장실에서 말소리가 들렸다. 이 감독님과 보조 감독님의 대화였다.

"감독님, 강새나 씨는 그래도 한 번 더 보는 게 좋지 않을까요? 진짜 잘하던데."

"글쎄. 이미지도 잘 맞고 연기도 괜찮은데 뭔가 부족해. 눈빛이 살아있지 못해. 솔직히 그 정도 하는 애들은 많잖아. 중요한 건 모르고 열심히만 한 느낌이야. 무슨 시간을 지나온 건진 모르지만 그 나이에 패기마저 잃으면 이제 힘들다고 봐야지. 안타깝네. 죽어버린 눈빛은 되살릴 수 없다고 보거든."

대화가 끝나고 혹시 마주칠까 엘리베이터 버튼을 빠르게 눌렀다. 건물을 빠져나와 뛰듯이 걸었다. 심장이 아파서 천천히 걸을 수가 없었다. '죽어버린 눈빛은 되살리기 어려우니까.' 내 눈빛이 죽었나. 언제부터였지. 실력의 한계를 느끼고부터? 오디션에 계속 떨어지고부터? 살아있는 눈빛을 동경해 연기를 시작했는데 눈빛이 죽어버린 지도 모른 채 연기하고 있었다니. 오디션에 떨어진 데서 오는 좌절감이 아니었다. 가장 존경하는 감독이 나는 이제 힘들다고 말한다. 뭘 제대로 해 보지도 못했는데, 시작도 못했는데. 뭘 고쳐야 할 지도 모르는데 더 이상 연기하는 게 의미가 있나. 3년의 세월과 마주했던 결과들이 머릿속에 스쳐 간다. 이제 알겠다. 아, 나는 진짜 안 되는구나. 정리가 되니 오히려 차분하다. 속도를 줄여 터덜터덜 걷는다. 한참을 걸으니 집이 보이는데 들어가기가 싫다. 그간의 불안이 묻어있는 좁은 방을 마주하면 오늘은 진짜 무너질 것 같다. 그럼 어딜 가지. 다시 정처 없이 걷는다. 갈 만한 곳이 없다. 방금 인생의 길도 잃었는데, 당장 눈앞의 길도 어디로 가야 할 지 모르겠다니. 날씨가 추워서 마음이 시리다. 마음이 없으면 좋겠다. 사라지고 싶다.

　발길이 닿는 대로 한참을 걸었을까. 어느새 모르는 동네에 와있었다. 낯선 거리, 낯선 간판, 낯선 사람들… 그 화려함이 싫어져 좁은 골목으로 들어섰다. 골목을 지나면 금방 다른 길이 나올 줄 알았는데, 좁고 한적한 길은 끝날 기미가 안 보였다. 양쪽으로는 불이 꺼진 집과 가게가 가득했고 가로등도 하나 없어 어둠만이 내려앉은 거리였다. 걸으면 걸을수록 으슥함이 주변을 감싸 반사적으로 휴대전화를 켰다. 집까지의 거리를 확인하려 지도 앱을 클릭했는데, 현재 위치를 인식하지 못했다. 두려움이 몰려와 순간 다리가 멈췄으나, 이내 휴대전화를 끄고 빠른 걸음으로 걸었다. 사람이 아무도 없어서 무서웠지만 또 따라 오는 누군가가 있을까 수시로 뒤를 돌아봤다. 오래 지나지 않아 멀리서 골목의 끝이 보였다. 안도의 한숨을 내쉬며 다시 발걸음을 늦췄다. 긴장이 풀려 옆 간판들을 구경하며 걷는데 한 공간이 눈에 띄었다. 어둠뿐인 거리에 유일하게 빛을 내뱉는 공간이었다. 굳게 닫힌 아치형의 큰 문. 그 틈새로 알 수 없는 초록색 빛이 새어 나오고 있었다. 간판이 없어 가게 같지는 않은데 그렇다고 가정집 같지도 않았다. 신비로운 느낌에 이끌려 한참 동안 문을 쳐다보다 시선을 돌렸다. 다시 한 걸음을 내딛는 순간, 한쪽 문이 끼익- 소리를 내며 열렸다. 화들짝 놀라 문 안쪽을 들여다보니, 문틈에서 새어 나왔던 초록빛이 가득 차 있었다. 밝지만 불투명한 빛에 무엇이 있는지 제대로 보이지 않았다. 문을 향해 조금 다가갔다. 가까이서 눈을 비비고 봐도 정체 모를 공간이었다. 골목을 빠져나가야 한다고 생각하면서도 시선을 뗄 수 없었다. 오묘한 분위기를 풍기는 빛을 볼수록 왠지 마음이 가라앉고 경계가 풀어지는 기분이 들었다. 몇 걸음을 더 옮겨 문 안쪽으로 들어왔다. 초록빛이 나를 감쌌다. 처음 맡아보는 좋은 향기에 취할 것 같았다……. 쿵- 문이 닫히는 소리가 들렸다. 뒤를 돌아보자 들어왔던 문이 온데간데없이 사라졌다. 사방을 둘러봐도 자욱한 연기만이 가득할 뿐이었다. 공포감이 들어야 정상인데, 이상하게도 안정된 마음에는 변함이 없었다.

그래, 될 대로 돼라. 어차피 돌아가도 문제일 테니까. 널브러진 헌실을 직면하는 것보다 이 이상한 공간에 몸을 맡기는 것이 더 편안할 것 같다는 생각이 들었다. 연기를 헤치며 안쪽으로 걸어들어갔다. 사람들의 목소리가 들리기 시작했다. 사람이 있긴 하구나. 다행이라는 생각이 들었다. 연기가 옅어지다 완전히 걷히자, 탁 트인 공간과 아주 많은 사람이 눈 앞에 펼쳐졌다. 가게도 집도 아니었다. 마치 새로운 세상에 온 느낌이었다.

"안녕하세요?"

등 뒤에서 목소리가 들렸다. 돌아보니 한 여자가 나를 보며 미소 짓고 있었다. 나보다 조금 큰 키에 백발을 한 그녀는 나이 든 외모는 아니지만 왠지 모르게 연륜이 느껴지는 아우라를 뿜어냈다.

"아…… 네, 안녕하세요. 근데 여긴 어디인가요? 혹시 종교단체나.. 뭐 그런 건가요?"

"아니요. 여긴 세계예요. 불행한 이들이 행복을 경험할 수 있도록 하는 세계요. 세계라고 해서 낯설겠지만, 여긴 새나 씨가 사는 현실이 아니에요. 현실과는 다른 차원에 들어왔다고 생각하면 돼요."

나의 질문에 가벼운 웃음을 보인 그녀는 믿을 수 없는 이야기를 쏟아냈다. 다른 차원의 세계라니. 무슨 판타지 영화에서나 볼법한 설정이다. 그런 게 존재할 수 있나? 현실에 없으니 존재한다고 볼 수 없는 건가. 그럼 이 여자는 이 세계 속에 사는 사람인가. 사람? 사람이라고 볼 수 있나? 잠깐, 내 이름은 어떻게 알았지? 내가 지금 살아있는 게 맞나?

"생각이 많죠? 받아들이기 힘든 거 이해해요. 천천히 설명해 줄게요. 일단 따라와요."

넋을 잃고 현실과 비현실의 혼돈에 빠진 내 생각을 읽은 듯한 그녀는 나를 앞질러 먼저 걸어갔다. 여자를 따라 광장처럼 생긴 공간으로 향했다. 그곳에는 다양한 나이대의 사람들이 모여있었다. 삼삼오오 수다를 떠는 무리부터 뛰어노는 어린이들, 바둑을 두는 어르신들, 내 또래 젊은 사람들도 보였다. 여자가 지나가자, 사람들은 반갑게 인사를 건넸다. 여자는 익숙한 듯 미소를 띠며 고개인사로 답했다. 광장 중앙의 계단을 올라 문을 열자, 집무실 같은 공간이 펼쳐졌다. 가운데 소파로 나를 안내한 여자는 책상 서랍에서 종이 한 장을 꺼내 내 앞에 앉았다.

"어서 오세요, 강새나 씨. 우리 세계에 온 걸 환영해요."

"네……. 근데 제 이름은 어떻게 아세요?"

"나는 사람을 보면 그의 모든 정보를 알 수 있어요. 새나 씨가 몇 살인지, 어떤 일을 하는지, 어떤 삶을 살았는지까지 전부 다. 믿기지 않겠지만요. 아까 얘기했듯이 여기는 불행한 사람을 행복할 수 있게 만들어주는 세계예요. 새나 씨가 이곳을 발견했다는 건, 새나 씨도 어두운 시기를 겪고 있었다는 뜻이겠죠. 우리 세계의 문은 고정되어 있지 않거든요. 불행을 극복해야 하는 사람이 있다면 그 사람 곁으로 다가가서 이곳으로 들어오게 만들죠."

나는 조심스레 고개를 끄덕이며 이야기를 들었다. 내가 이곳에 들어온 건 우연이 아닌 필연이었다는 말인가. 여자는 짧은 설명 뒤로 종이를 내 쪽으로 들이밀었다. 종이에는 번호로 매겨진 몇 가지의 설명과 서명란이 적혀있었다.

"이건 계약서예요. 하나씩 자세히 설명해 줄게요. 먼저 1번. 우리 세계에 들어오면 이곳에서 기본적으로 3개월을 지내는 게 규칙이에요. 3개월 후 연장 또는 계약 종료를 선택하게 돼요. 연장을 한다면 새나 씨의 남은 생을 모두 이곳에서 보낼 수 있고, 종료하게 되면 즉시 현실로 돌아갈 수 있죠. 이곳에서의 3개월은 현실의 3분이기 때문에 나가더라도 여기 들어온 그날부터 살아가게 될 거예요. 다음 2번. 이곳에서 지내는 동안 새나 씨는 하고 싶은 것, 먹고 싶은 것, 갖고 싶은 것 모두 제한 없이 누릴 수 있어요. 고급 뷔페에서 파는 랍스타를 주문하시면 바로 방으로 전달해 드릴 수 있고, 명품 가방이 가지고 싶으면 어떤 것도 즉시 구매하실 수 있고요. 돈이나 물건은 다시 현실로 돌아가게 된다면 가지고 갈 수 없지만요. 마지막으로 3번. 여기서는 하루에 한 번씩 마법의 능력을 쓸 수 있어요. 마법이라는 건 말 그대로 물리적으로는 불가능한 일이죠. 보통 하늘을 나는 마법, 키가 커지는 마법, 하고 싶은 걸 잘할 수 있는 마법 같은 걸 쓰시곤 해요. 간혹 어르신들은 아픈 곳이 없어지는 마법이라든지 침침한 눈이 잘 보이는 마법을 매일 쓰시는 분들도 있고요. 뭘 하던 자유예요. 방법은 하루 중 언제든 어떤 능력을 쓸지 방에 있는 종이에 작성하면 끝이에요. 쉽죠? 계약서에 적혀있는 내용은 여기까지예요. 생활은 크게 특별할 건 없어요. 방은 2인 1실이고…… 더 궁금하신 거 있나요?"

"어……글쎄요."

궁금한 게 한두 가지가 아니지만 모두 상식적으로는 설명할 수 없는 일뿐이니 이해를 시도하는 건 무의미하겠다는 생각이 들었다. 이곳은 한 마디로 천국이 따로 없다. 천국에서의 3개월이라니, 원한다면 평생을 살 수도 있다니. 이런 과한 판타지는 영화로 만들어도 욕먹겠다.

"혹시 이곳에서 평생을 살게 되면 현실에서의 저는 어떻게 되는 건가요?"

"원래부터 없었던 사람이 돼요. 아무도 새나 씨의 존재를 기억하지 못하는 거죠. 친구들, 부모님, 전부요. 그들은 새나 씨가 없었다면 살았을 삶을 살게 되고요. 어떤가요. 3개월, 살아보시겠어요?"

여기서 살아도 누군가가 상처받을 일은 없겠구나. 꿈 같은 설명에 홀린 건지 위험한 호기심이 발동한 건지 점점 이곳에 마음이 기울었다. 아직 썩 믿음직스럽진 않지만, 이곳이 어떤 곳이든 적어도 답 없는 인생을 어떻게 해결해야 할지 머리 싸매야 할 일은 없을 테니.

"살아볼게요."

여자는 온화한 미소를 띠며 계약서와 볼펜을 내밀었다. 서명란에 내 이름 석 자를 적어 돌려주니 옆에 자신의 사인도 더해 확인시켜 주었다. 그녀의 칸에는 세계리더 Lee라고 적혀있었다.

"방은 여길 쓰시면 돼요. 지금이 딱 저녁 시간이라, 들어가서 옷 갈아입고 식사하시면 되겠네요. 기본적인 생필품은 모두 구비되어 있고, 더 필요한 물건은 광장의 신청함에 적어 넣으시면 빠르게 방으로 보내드릴게요. 그럼 좋은 저녁 되세요."

리더는 광장에서 벗어나 아파트 같은 새 건물로 나를 안내했고, 키를 건네주며 2층의 맨 끝 호실을 배정해 주었다. 조심스레 문을 열고 방에 들어서자, 어느 앳된 여자아이가 소파에 누워있다 벌떡 일어나며 인사를 건넸다.

"어! 새로 오신다는 분이구나. 안녕하세요!"

"네, 안녕하세요."

"반가워요! 저는 우소미예요. 스물두 살이고요."

"아…… 네, 전 강새나예요. 스물여덟이요."

"우와! 언니라고 불러도 돼요?"

밝은 분위기를 풍기는 소미는 활짝 웃으며 나를 살갑게 반겼다. 나는 미소 지으며 고개를 끄덕인 뒤 방에 들어섰다. 방 내부는 두 명이 쓰기엔 넓었다. 한 공간을 두 명이 함께 쓰는 줄 알았는데, 투룸 형식으로 개인 공간이 나뉘어 있었고 거실만 공유했다. 거실에는 소미가 누워있던 소파와 낮은 식탁, TV, 주방 공간이 있었다. 주방에 서면 앞으로 큰 통창이 보였고, 창밖으로는 베란다가 있었다. 거실만 해도 원래 살던 집보다 3배는 넓은 것 같았다. 현실에서 이런 집을 구하려면 얼마나 오래 일해야 했을까. 조금 씁쓸한 기분이 들어 창밖으로 지는 노을을 바라보며 잠시 생각에 잠겼다.

"언니, 뭐해요! 방 구경해야죠."

소미의 목소리에 깜짝 놀라 정신을 차렸다. 머쓱하게 웃으며 두 개의 방 중 오른쪽에 있는, 3개월 동안 나의 보금자리가 될 공간에 들어섰다. 트윈 사이즈의 침대와 그 옆 책상, 반대편엔 붙박이 옷장과 화장대가 놓여있는 방은 깔끔하고도 포근한 느낌을 주었다. 방문 바로 옆면에 있는 문을 하나 더 여니 개인 화장실이 있었다. 넓은 정도가 아니라 나에게는 호화로운 환경이었다. 하긴 여기서 평생을 사는 사람도 있을 테니. 오래 지내도 답답하지는 않겠구나 생각했다.

"언니, 여기 6시부터 저녁 식사 시간이에요. 먹고 싶은 음식을 주문할 수도 있고, 식재료를 사 와서 직접 요리할 수도 있고, 광장에 있는 식당에 갈 수도 있는데 어떻게 할래요?"

"음, 광장 식당에 가 볼래요. 첫날이니까 여기저기 구경도 하고요. 소미 씨는요?"

"좋아요! 괜찮으면 저도 같이 가도 돼요?"

"그럼요."

붙임성 좋은 소미 덕에 긴장이 조금 풀린 채 광장으로 향했다. 식당에서는 〈픽업대〉라고 쓰인 곳에 다가가 앞에만 서도, 식판에 담긴 음식이 자동으로 생겨났다. 아직은 적응이 어려운 마법 덕에, 많은 사람 속에서도 기다리지 않고 음식을 받을 수 있었다.

"할아버지, 드디어 나오셨네요!"

소미를 따라 앉은 자리 옆에는 한 중년의 남성이 먼저 식사를 하고 있었다. 중후한 분위기의 남자는 어느 정도 연배가 있는 듯했지만 깔끔한 인상 때문에 할아버지라는 호칭이 어울리지 않았다.

"오늘 하루 종일 안 보이셔서 벌써 계약이 끝나셨나 했어요."

"허허. 계약은 아직 한 달이나 남았지. 오늘은 종일 방 안에서 사진 정리를 했어. 왠지 그러고 싶은 날이더군."

"오! 드디어 꺼내셨네요. 나중에 저도 꼭 보여주세요. 아, 소개가 늦었네요. 이쪽은 제 새로운 룸메이트 언니예요."

"안녕하세요, 강새나입니다."

"반가워요. 난 김진하예요."

진하 할아버지는 70세였다. 그보다 열 살은 젊어 보였지만, 당신이 일찍 아이를 낳았다면 우리가 손녀뻘이었을 거라며 아저씨보단 할아버지라고 부르는 게 맞다고 했다. 젊은 사람을 대하는 태도도 굉장히 조심스럽고 친절했다. 여러 면에서 배려심이 몸에 밴 사람 같았다.

"우리 식사하고 산책할 겸 정원에 갈래요? 언니, 정원에서 바라보는 하늘이 그렇게 예뻐요. 별이 엄청나게 잘 보여서."

"좋아요."

진하 할아버지도 웃음으로 대답을 대신했다. 우리는 식사를 마친 뒤 정원을 향해 여유롭게 걸었다. 광장에서 정원까지 걸어가는 데 시간이 꽤 걸렸다.

"근데 여기는 광장이랑 집, 정원 말고 또 뭐가 있어요? 정원이 생각보다 멀리 있네요."

"마트, 우체국, 병원, 찜질방, 노래방, 학교… 바다도 있어요. 우리가 가는 정원도 말이 정원이지 크기는 숲에 가까울걸요?"

소미가 이곳저곳을 가리키며 말했다. 작은 센터 같은 느낌일 줄 알았는데, 하루 안에 이곳을 다 둘러보는 건 무리였구나.

"여기가 정원이에요."

진하 할아버지를 필두로 울창한 나무가 빽빽이 보이는 정원으로 들어섰다. 두 사람은 익숙한 듯 길을 찾아 작은 의자 여러 개가 있는 공간의 중간에 자리 잡았다. 자연스레 옆에 앉아 위를 올려다보니 믿을 수 없을 만큼 많은 별이 반짝이고 있었다. 살면서 본 밤하늘 중 가장 깨끗하고 아름다웠다. 별 하나하나가 너무 밝게 빛나 그 속으로 빨려 들어가도 이상하지 않을 것 같았다. 바람에 흔들리는 나무 꼭대기 이파리들이 별에 닿을 것만 같아 마음이 간질거렸다. 아름다움을 형상화한다면 반드시 이 풍경이리라 생각했다. 두 사람은 넋을 잃은 나를 바라보며 웃었다.

"너무 예쁘죠?"

진하 할아버지는 다정하게 말을 걸며 함께 하늘을 바라봤다.

"네……. 처음 보는 풍경이에요. 여긴 어떻게 이래요?"

"세계니까요. 이곳의 말로 설명할 수 없는 현상들은 이 단어 하나로 정리된달까요. 하하. 꼭 오염이라고는 없는 청정구역 같죠."

우리는 그 뒤로 한참을 말없이 하늘만 바라보고 있었다. 두 사람은 이미 많이 본 풍경이겠지만, 나를 위해 기다려주는 듯했다. 그 마음이 전달되어 내가 먼저 정적을 깼다.

"저, 궁금한 거 하나 여쭤봐도 돼요?"

소미와 진하 할아버지는 동시에 나를 보며 끄덕였다.

"두 분은 어쩌다 여기 들어오게 됐어요?"

소미는 마치 예상했다는 듯이 진하 할아버지와 눈을 맞추고, 웃으며 대답했다.

"우리가 얘기해 주면, 그다음엔 언니 얘기도 들려줄래요?"

그렇게 소미의 얘기가 시작됐다.

"나는 살면서 행복했던 기억이 없어요. 과장 같죠. 근데 진짜예요. 엄마는 내가 태어나자마자 집을 나갔고, 아빠는 엄마가 집 나간 후로 술만 마시면 날 때렸어요. 맨정신일 땐 그래도 괜찮았는데, 술 들어가면 완전 망나니. 아빠가 술 마시고 들어온 날엔 방에 숨어서 숨소리도 안 냈어요. 신경을 건드리지 않으면 그나마 빨리 끝났거든요. 맞고 나서도 혹시 또 맞을까 밤새 잠을 못 잤어요. 그러다 아침에 아빠가 나가면 그제야 잠깐 자고…… 이러니까 학교에서도 제정신이 아니었죠. 아, 언니 그래서 나 아직도 밤에 잠을 잘 못 자요. 수면제를 먹긴 하는데 그래도 가끔 깨서. 혹시 언니 잠귀 밝아요? 아, 그러면 다행이다. 아무튼 그렇게 살다가 고등학교 1학년 때 집을 나왔어요. 아빠도 내심 내가 없길 바랐던 건지, 몇 번 연락 오더니 잘 살라며 찾지도 않더라고요. 집 나오고 우연히 가출팸 같은 데 들어갔다가 질 나쁜 애들 만나서 나쁜 짓도 몇 번 했어요. 그때 배운 담배도 아직 못 끊었고……. 인생이 점점 시궁창이 되는 기분이 들더라고요. 힘들게 겨우 도망쳐 나와서 지푸라기 잡는 심정으로 쉼터에 들어갔어요. 쉼터 살면서는 좋은 선생님들 만나서 알바도 하고, 학교도 잘 다니고, 그래서 나도 잘 살 수 있을 줄 알았어요. 그때가 열여덟이었으니까 알바해서 모은 돈으로 스무 살 되면 독립하려고 했어요. 성인이 되면 뭐 할지도 생각해 놨어요. 학교 공부를 제대로 못 했으니 대학은 포기했고,

그때 했던 음식점 일이 꽤 잘 맞아서 요리를 배워보려고 했어요. 그 마음으로 1년은 착실히 지냈죠. 근데 열아홉 여름에, 가출팸에서 알던 언니한테 연락이 왔어요. 무슨 투자를 하는데 돈이 필요하대요. 내가 알바해서 돈 모은 건 어떻게 알았는지 자기 좀 도와달라고. 지금 생각하면 딱 봐도 수상한데, 그땐 그게 이상한 일이라고 생각 못 했어요. 거기서 유일하게 마음 준 언니였고, 언니도 저 나오고 얼마 안 있다가 거기서 나왔거든요. 잘 살고 있나 보다 생각했죠. 그래서 나, 내가 모은 천만 원 다 줬어요. 한 달 안에 이자까지 쳐서 준다고 자신 있게 말했거든요. 근데 그 뒤로 삼 개월을 연락이 없다가, '미안해.' 문자 한 통 온 게 끝이었어요. 그때 난 천만 원보다, 내가 태어나서 처음으로 제대로 산 일 년을 통째로 뺏긴 느낌이었어요. 쉼터 선생님들한테 사기당했다고 도저히 말을 못 하겠더라고요. 남은 시간 동안 다시 모은 백만 원 들고 스무 살 되자마자 나왔어요. 찜질방에서 자면서 또 닥치는 대로 일만 했는데, 어느 순간 이렇게 살아서 뭐 하나 싶더라고요. 뭔가 처음부터 단단히 잘못된 느낌. 돌이킬 수 없는 뭔가가 꼬여있는 느낌. 내 문제지만 내가 해결할 수 없을 것 같았어요. 그래서 그만 살까, 그만 살까. 그러다 작년에 여길 들어왔죠. 그때부터 1년 넘게 살고 있고, 앞으로도 여기서 살 거예요."

담담하게 말하는 소미의 말투와 달리 눈동자에는 슬픔이 가득했다. 슬픔은 크기로 잴 수 없다지만, 마음에 누구보다 깊은 심해가 들어있는 듯한 아이. 사람 때문에 망가지고도 사람에게 마음을 주는 아이. 나는 소미의 남은 날들은 꼭 행복이 가득하기를 간절히 기도했다.

"으, 내 얘기 하는 것도 이제 지겹다. 나 여기서 평생 살면 앞으로 얼마나 더 많이 얘기해야 해요? 나중엔 세줄 요약으로 만들어야겠어. 진하 할아버지, 이제 할아버지 얘기해 주세요. 할아버지 젊은 시절 되게 낭만적이잖아요."

가라앉는 분위기를 바꾸려는 듯한 소미의 말을 끝으로 우리는 할아버지를 향해 일제히 시선을 돌렸다. 할아버지는 부끄러운 듯한 표정으로 웃어보였다.

"허허. 난 아직 내 얘기를 하는 게 익숙하진 않네요. 내 젊음이 낭만적인지는 잘 모르겠지만, 시작해 보지요. 나는 사진사였어요. 여러분 나이였을 때부터 40년 동안 동네 사진관을 운영하고 일평생 사진만 찍었지요. 서른이 좀 넘어 한 여자와 결혼했어요. 미팅으로 만난 여자였는데, 내가 첫눈에 반했어요. 나는 사진만 사랑하는 놈인 줄 알았는데, 한 사람에게 그토록 빠질 수 있다는 게 놀라울 지경이었지요. 나중에 알고 보니 우리 사진관에도 온 적이 있었어요. 그때 찍은 사진을 우연히 발견하고 둘이 얼마나 웃었던지, 우린 그 우연도 깊은 운명이라 믿었어요. 38년을 같이 오순도순 살았어요. 우리 아내가 임신이 되지 않아서 아이는 없었지만, 그만큼 서로의 세상에 서로만이 가득할 수 있어서 좋았지요. 아내는 음악을 했는데, 비는 시간마다 사진관에 와서 내 사진을 보고, 손님들하고 담소를 나누곤 했어요. 그런 잔잔한 일상이 너무 행복해서, 평생 이대로 살다 가도 좋겠다고 생각했지요. 그런데 올해 초에 그 사람이 먼저 갔어요. 심장에 문제가 있었는데, 처음 발견된 지 한 달 만에 떠났어요. 이별을 준비할 시간도 충분하지 않았어요. 내가 더 주의를 기울였으면 그 사람을 살릴 수 있었을까요. 여름에 같이 스위스 여행을 가자고 했었는데……. 아내가 가고 사진관을 닫았어요. 그 사람의 흔적이 가득한 공간을 도저히 나 혼자 마주할 수가 없었지요. 카메라도 다시는 못 들게 됐어요. 내 평생은 사진과 우리 아내가 전부였고, 사진을 떠올리면 아내가 함께 떠올라 그리움과 미안함에 사무쳤어요. 6개월을 혼자서 지내는데, 뭘 하든 재미도 흥미도 의미도 없었어요. 내 전부를 모두 잃은 삶을 더 붙잡을 이유가 없을 것 같더군요. 모두 정리하고 아내 곁으로 가는 게 더 행복할 것 같았어요. 찍은 사진과 카메라를 처분하려고 집을 나서다가, 그 문을 발견했어요. 그렇게 들어온 지 2개월이 되었네요."

끝없이 불행한 환경에 상처 입은 사람, 사랑하는 이의 죽음으로 무엇에도 열정을 느끼지 못하는 사람. 두 사람의 이야기를 듣고 나니, 죽도록 미운 사람도, 곁을 떠난 사람도 없는 나의 이야기가 조금 보잘것없게 느껴지기도 했다. 내 차례가 다가와 조심스레 두 사람에게 나의 이야기를 들려주었다. 조용히 또 진지하게 듣던 이들은 다정한 목소리로 한 마디씩을 건넸다.

"너무 힘들었겠다, 언니. 여기서는 언니가 꼭 행복했으면 좋겠어요."

"많이 애쓰면서 살았네요. 참 고생 많았어요. 새나 씨."

아픔의 크기를 자연스레 비교하게 됐던 나와 달리 두 사람은 내 이야기를 진심으로 듣고 표현했다. 담담한 말들이었지만 어떤 말보다 깊은 위로를 받은 기분이었다. 슬픈 사람들이 마음을 나누는 건 각자의 아픔으로 서로를 보듬어주는 일이구나. 어느때보다 꽉 찬 마음으로 다시 하늘을 올려다본다. 울창한 나무가 감싸안은 이야기들의 잔상을 떠올리며 이곳에서의 첫날이 저물었다.

......

그로부터 한 달이 지났다. 이곳에서의 삶도 어느 정도 적응이 됐다. 충분히 자고 일어나 아침 산책을 하고 밥을 먹고 나면 심심하다며 찾아온 소미와 함께 시간을 보냈다. 저녁이 되면 밖으로 나가 하고 싶은 일을 하고, 밤에는 정원에 가서 별을 구경하거나 바다에 가서 노을을 보곤 했다. 참으로 평화롭고도 아름다운 일상이었다. 많은 사람을 만나 대화를 하고 종종 함께 시간을 보냈지만, 룸메이트인 소미와 첫날 만난 진하 할아버지와 가장 친밀하게 지냈다. 자연스레 말도 편해졌다. 소미는 종종 나에게 요리를 해주었는데, 웬만한 식당에서 파는 밥보다 맛있었다. 소미에게 확실히 재능이 있는 것 같다고 얘기해 주자 세상을 다 가진 듯 웃으며 앞으로 더 많은 요리를 해 주겠다고 약속했다. 진하 할아버지는 묵혀놨던 사진들을 정리하기 시작한 후로 사진에 다시 조금씩 마음을 열었다. 속내를 물은 적은 없지만 어떤 이유로든 상처가 치유되고 있는 것 같아서 다행이었다. 최근에는 종종 출사를 나가 사람들의 사진을 찍어주곤 했다.

"언니, 그거 알아?"

"응? 뭘?"

"오늘 진하 할아버지 계약 종료일인 거."

"정말? 벌써 시간이 그렇게 됐구나. 깜빡 잊고 있었네."

"어떻게 하실까. 할아버지."

평소보다 묘하게 기분이 다운되어 보이는 소미에게 이유를 물을까 고민하던 참이었는데, 진하 할아버지의 계약 종료 때문이었구나. 할아버지는 이곳에서의 삶을 굉장히 행복해 하면서도, 가끔 노을을 보면 묘한 표정을 짓곤 했다. 그 때문에 할아버지의 결정을 쉽게 가늠해 볼 수 없었지만, 어떤 선택이든 할아버지가 행복할 수 있는 길이 되기를 바랐다.

띵동-

천장에 달린 스피커에서 리더의 목소리가 들려왔다. 진하 할아버지의 계약 종료일을 맞아 모두 광장으로 모이라는 알람이었다. 내가 여기 있는 동안 오늘까지 세 사람의 계약 종료일을 맞이했는데, 한 사람은 현실로 돌아갔고, 다른 한 사람은 세계에 남았다. 세 번째인 오늘 진하 할아버지의 결정은 어느 곳을 향해 있을까. 긴장되는 마음을 품고 광장으로 내려갔다.

"오늘은 김진하 씨의 계약 종료일입니다. 부디 이곳에서 보내신 3개월이 행복으로 가득하셨기를 바랍니다. 김진하 씨는 오늘을 끝으로 이곳을 떠나게 되었습니다. 현실에서도 행복 가득한 날들이 이어지기를 응원하며, 지금부터 작별 파티를 진행하도록 하겠습니다. 이곳에서의 마지막 하루를 즐기시고, 안전히 돌아가십시오."

누군가의 계약 종료일에는 파티를 하는 문화가 있었다. 현실로 돌아가는 이에게는 작별 파티, 계속해서 함께 하는 이에게는 환영 파티. 오늘의 작별 파티를 앞둔 할아버지는 언제나 그렇듯 온화한 미소를 띠며 광장에 모인 사람들을 천천히 바라보았다.

밤 11시 30분. 계속 이어지는 파티에 광장이 소란스러웠다. 진하 할아버지와의 작별이 30분 남짓 남았다. 애써 슬픔을 누르고 있는 우리에게 할아버지가 다가왔다.

"할아버지……."

당장이라도 울 것 같은 표정을 한 소미는 할아버지에게 달려가 안겼다. 옆에 선 나도 조용히 함께 팔을 포갰다.

"고마웠네. 두 사람에게 가장."

"나가시면 행복하게 사세요. 여기에서보다 더요! 사진도 꼭 다시 하시고요."

"그래, 여기서도 꼭 행복해야 해. 앞으로도 지금처럼 많이 웃고. 웃는 게 제일 예쁜 사람이니."

소미가 떨리는 목소리를 누르며 말했고, 할아버지도 그 마음을 이어받은 듯 힘차게 답했다.

"할아버지, 짧은 시간이었지만 절대 잊지 못할 거예요. 할아버지의 사진은 그 어떤 사진보다 최고예요. 아시죠?"

"허허 물론. 자네도 여기 처음 왔을 때랑 아주 달라진 거 알고 있지? 잃어버린 무언가가 점점 돌아오고 있는 걸지도 몰라. 지금 굉장히 편안해 보인다는 것만 알아두게."

말을 끝으로 할아버지는 우리에게 사진 한 장을 건네주었다. 소미와 내가 지는 노을을 배경으로 웃으며 대화하는 찰나의 모습이었다. 무엇보다 특별하고 소중한 선물을 남기고 12시가 되어 떠나는 그의 마지막 얼굴은 이곳에서 보았던 모든 표정 중 가장 행복해 보였다.

......

진하 할아버지와의 작별 후 다시 두 달 가까이의 시간이 흘렀다. 하루의 끝에는 꼭 할아버지가 남긴 사진을 보고 잠에 들었다. 사진을 볼 때면 꼭 현실로 돌아간 할아버지가 행복하게 살아가는 모습이 그려지는 듯했다. 시간이 지나 이곳에 적응하고 나서는 누릴 수 있는 능력들을 활용해 보았다. 원하는 것을 모두 가질 수 있는 능력은 가끔 기분 전환으로 예쁜 옷을 입거나 비싸고 맛있는 음식을 먹는 것으로 만족했다. 하루에 한 번씩 쓸 수 있는 마법은 말 그대로 마법이었다. 어떤 날에는 10센티미터가 크거나 10킬로그램이 빠진 몸이 되어 기분 좋은 하루를 보냈고, 어떤 날에는 하늘을 날아 구름 위를 통과해 보곤 했다. 또 어떤 날엔 선수 같은 수영 실력을 얻어 바다를 마음껏 가르며 수영했고, 어떤 날에는 놀라운 필력을 가지게 되어 하루 종일 30편이 넘는 글을 써 보기도 했다. 평생 가졌던 욕구를 모두 해소하는 기분이었다.

그리고 오늘은 현실로 돌아가기로 선택한 누군가의 작별 파티에 참석했다. 얼마 남지 않은 나의 결정을 미루며 무거워졌던 마음을 뒤로하고, 파티를 신나게 즐겼다. 분위기가 무르익은 오후 9시 무렵, 광장

중앙 무대에서 공연이 시작된다는 안내 방송이 들렸다. 연극과 뮤지컬을 보는 것이 취미였던 파티 주인공을 위해 그와 가까이 지내던 사람들이 그를 주제로 직접 공연을 만든 것이었다. 소미와 함께 좌석 앞줄에 자리를 잡았는데, 예정된 시간이 넘어가도 공연이 시작하지 않았다. 의아해하고 있던 와중, 리더가 주인공을 잠시 광장 밖으로 데려가더니 대기실에 있던 공연 관계자가 급히 나와 소리쳤다.

"혹시 연기해 보신 분 있을까요? 메인 역할을 맡기로 한 친구가 갑자기 아파서 연기가 힘들 것 같은데, 대신 역할 맡아주실 분 구합니다! 누가 좀 도와주세요!"

공연 직전 배우를 바꾼다니 현실에선 상상도 못 할 일이지만, 여기서는 능력을 쓰면 될 것이다. 연기하기로 한 사람이 많이 아픈가. 어디가 아픈 거지.

"언니, 언니가 하는 거 어때?"

온갖 생각을 하던 도중 소미가 말을 걸어왔다. 이곳에 들어와서 연기는커녕 영화나 드라마 한 편 본 적 없다. 연기를 다시 마주할 자신이 없었기 때문이다.

"에이, 내가 어떻게,"

"여기요! 여기 배우 준비했던 사람 있어요!"

말을 마치기도 전에 소미가 대기실을 향해 손을 들고 외쳤다. 거절하거나 말릴 새도 없었다. 정신을 차렸을 땐 이미 관계자를 따라 대기실로 들어가고 있었다. 뒤돌아 소미를 보니 장난기 어린 표정을 지으며 입 모양으로 파이팅을 말했다.

"지원해 주셔서 정말 감사합니다! 원래 역할 친구가 과민성 대장염 때문에 30분째 화장실에서 나오지를 못하는데, 공연을 더 이상 미루거나 취소할 수 없어서요. 낭독극이라 대본은 외우실 필요 없고, 그래도 부담되시면 마법 사용하셔도 괜찮습니다!"

배우로 보이는 사람이 안도의 표정을 지으며 연거푸 감사 인사를 전했다. 내가 지원한 적은 없는데……, 모두가 급해 보이는 상황에 차마 거절할 수 없었다. 대본은 길지 않았지만, 역할의 비중이 높아 분량은 꽤 됐다. 무대에 올라가기까지 나에게 주어진 시간은 40분 남짓, 하필 아침에 2시간 동안 지치지 않고 달릴 수 있는 러닝을 한 탓에 더 이상 능력을 사용할 수 없었다. 민폐만 되지 말자는 생각으로 대본을 붙잡고 열심히 읽어 내려갔다. 대사를 어떻게 표현할지 상상하며 생각나는 대로 메모했다. 3개월 만에 대본에 집중하는 기분은 나름대로 나쁘지 않았다. 40초 같은 40분이 순식간에 지나 관계자가 말을 걸어왔다.

"저희 무대 올라가기까지 5분 남았습니다. 새나 씨, 괜찮으실까요?"

"네, 준비됐습니다."

급하게 투입된 터라 아무도 크게 기대하지 않겠지만, 오랜만에 사람들 앞에서 연기하려니 긴장감이 몰려왔다. 공연장 뒤편으로 이동해 잠깐의 스탠바이 후 10시 정각, 무대에 올랐다.

30분 남짓한 짧은 공연이었다. 실수 없이 무사히 공연을 마치고 인사를 했다. 박수를 받으며 앞을 보니 맨 앞자리 가운데에 자리한 파티 주인공은 눈물이 고인 채 밝게 웃고 있었다. 그의 표정을 보니 나도 그제야 긴장이 풀려 활짝 웃어보였다. 후련한 숨을 내뱉으며 무대에서 내려오니 기다리고 있던 소미가 달려왔다.

"언니! 능력 쓴 거야? 나 진짜 울 뻔했잖아."

"능력 쓴 거 아닌데, 괜찮았어?"

"진짜? 괜찮은 정도가 아니었는데? 우는 사람들도 많았어. 언니 진짜 대단하다. 이렇게 잘하는데 왜 안 하려고 했던 거야?"

소미가 큰 눈을 더 크게 뜨며 속사포로 말했다. 그래도 괜찮았구나. 민망한 웃음을 지으며 안도하던 중, 파티 주인공이 다가왔다.

"공연 잘 봤습니다."

"안녕하세요! 돌아가시는 거 축하드려요. 현실에서도 행복하시길 기도할게요."

"감사합니다. 저…… 배우님이 어떤 이유로 여기 들어오신 지 모르지만, 앞으로도 연기는 계속해 주셨으면 해요. 살면서 봐 온 많은 공연 중에 오늘 무대가 제일 감동적이었거든요. 저를 주제로 한 공연이라서 그렇기도 하지만, 배우님의 연기가 가슴에 많이 와닿았어요. 혹시 현실에 돌아오셔서도 연기해 주신다면 꼭 보러 갈게요. 눈빛이 계속 생각날 것 같아서요. 이 말씀 드리고 싶어서 찾아온 거예요. 감사했습니다."

그가 꾸벅 인사하고 돌아섰다. 연기를 시작한 이래로 이 정도의 칭찬을 받은 건 처음이라 어안이 벙벙했다. 눈빛이 계속 생각날 것 같다니. 3개월 전까지만 해도 죽어버린 눈빛이라는 평을 들었던 나에게는 최고의 극찬이나 다름없었다. 나보다 더 신이 난 소미가 옆에서 방방 뛰었다. 소미는 오늘같이 기분 좋은 날엔 밤바다를 봐야 한다며 나를 이끌어 밖으로 향했다. 시원하고 깨끗한 바람을 맞으며 바다를 향해 천천히 걸었다. 광장을 메우는 음악 소리와 사람들의 웃음소리가 점점 멀어졌다. 하늘에는 손톱 모양 초승달이 빛나고 있었다.

......

햇살이 눈부신 어느 일요일 오전, 이른 점심으로 소미가 요리해 준 에그인헬을 먹고 소파에 앉아 창밖을 바라본다. 유난히 날씨가 맑은 오늘은 나의 계약 종료일이다. 진하 할아버지의 마지막 날처럼 차분한 분위기의 소미는 자신이 제일 잘 하는 요리를 해 준 것도 모자라 커피까지 내려주었다. 인터폰이 울렸다. 리더의 호출이었다. 소미와 작은 미소를 주고받고 방을 나섰다.

"어서 와요, 새나 씨."

"좋은 점심이에요 리더님. 단둘이 뵙는 건 오랜만이네요."

"결정은 하셨을까요?"

"네."

결정에 대한 고민을 하느라 어젯밤을 꼬박 새웠다. 어떤 선택으로도 마음을 굳힐 용기가 없어 자꾸만 갈팡거렸다. 침대에 누워 가만히 생각해 봐도, 책상에 앉아 펜을 들고 정리를 하려 해도 복잡해지기만 할 뿐이었다. 베란다에 나와 하늘에 뜬 별의 개수를 세며 생각을 비웠다. 오십두 개 째를 세는데 베란다 문이 열렸다. 소미였다.

"안 자?"

"잠이 와야 말이지. 바람 쐬려고 나왔는데 언니가 딱 있네. 결정은 했어?"

"아니, 잘 모르겠어. 어느쪽에도 확신이 안 서."

"너무 어렵게 생각하지 말고 마음이 시키는 대로 하면 돼. 언니 마음이 가리키는 곳이 분명히 있을 거니까. 나는 여기서 살기로 결정하고 매일 행복했거든. 언니도 언니가 더 행복할 결정을 하기를 바라. 그게 어느쪽이든."

소미는 슬픈 눈이었지만 포근한 웃음을 지어 보였다. 그리고는 더 이상 결정에 대해 이야기하지 않았다. 가벼운 대화를 몇 마디 나누고 이제 진짜 자야겠다며 방으로 돌아갔다. 소미의 말을 곰곰이 되뇌며 이곳에서의 3개월을 떠올렸다. 머릿속에 그려지는 여러 장면에 눈시울이 뜨거워졌다. 첫날 정원에서 본 아름다운 절경, 그곳에서 들은 두 사람의 이야기, 능력을 사용해서 원 없이 누렸던 것들, 어떤 의무감도 없이 편안했던 일상들……. 한 장 한 장 펼쳐보던 기억의 페이지가 가장 많이 머무른 곳은 일주일 전 우연히 올랐던 공연이었다. 좋은 평을 건네준 그가 본 내 눈빛은 어땠던 걸까. 정말 내가 변한 걸까. 연기하는 나는 어땠나? 흐려진 기억을 헤집어보았다. 긴장감에 묻혀있던 다른 감정들 중 가장 큰 것은 즐거움이었다. 잘 깨닫지 못했지만, 나는 연기를 즐기고 있었다. 배역에 몰입해 다른 이들과 대사를 나누는 게 벅차게 즐거웠다. 아, 나 행복했다. 연기하는 게 행복했구나. 깨닫고 나니 신기하면서도 이상한 기분이 들어 울렁거렸다. 영원히 찾을 수 없을 것만 같던 길이 펼쳐진 느낌이었다. 돌아가고 싶어졌다. 이곳에서 연기하며 사는 것도 좋겠지만, 현실의 내가 쌓아 올린 시간을 증명해 내고 싶었다. 다시 꿈꾸고 싶다. 그리고 이번에는 왠지 이룰 수 있을 것 같다.

나의 작별 파티가 열렸다. 누군가의 파티를 구경만 하다 주인공이 되니 감회가 새롭다. 익숙한 풍경과 음악, 사람들의 모습이 유난히 소중했다. 돌아가도 이 순간을 오래 기억하고 싶어 조용히 눈으로 사진을 찍었다. 이곳에서 사라라기 2시간 전, 사람들과 작별 인사를 나눴다. 누군가는 잘 가라며 등을 토닥여주었고, 누군가는 울어주었으며, 누군가와는 깊은 포옹을 했다. 리더와도 짧은 인사를 나누었다. 그는 행복을 알게 되어 다행이라며 악수를 건넸다. 나는 두 손으로 맞잡으며 마음을 다해 감사 인사를 전했다. 옆에서 초조하게 기다리던 소미는 인사가 끝나자마자 내 손목 잡고 광장 밖으로 향했다. 그러고는 전속력으로 뛰었다.

"소미야, 근데 어디 가는 거야?"

"우리 첫날 갔던 정원! 빨리 가야 해. 시간이 얼마 안 남았잖아!"

숨을 헐떡이며 정원에 도착했다. 울창한 나무와 빛나는 별. 이곳은 언제 와도 첫날 그 모습 그대로였다. 그때 그 의자에 앉아 함께 숨을 골랐다. 주변 공기가 더워졌지만, 그마저도 즐거웠다. 나보다 더 힘들어하는 소미와 눈이 마주치고 동시에 웃음을 터뜨렸다. 우리는 서로의 숨소리가 안정을 되찾고도 한동안 가만히 하늘을 바라봤다. 먼저 정적을 깬 건 소미였다.

"언니."

"응?"

"나, 3개월 동안 언니 덕에⋯⋯ 정말 많이 행복했어. 언니는 너무 좋은 사람이야. 그리고 진짜⋯⋯ 진짜 좋은 배우가 될 거야. 나 여기서 언니 작품 나오면 꼭 볼 테니까 좋은 작품 많이 찍어줘야 해. 그리고 무엇보다도⋯⋯ 꼭 행복해야 해. 여기에서보다 훨씬 더. 내가 화면 너머로 지켜보고 있을 거야. 나한텐 다 느껴지니까⋯⋯. 알겠지?"

입술을 달싹거리며 띄엄띄엄 말하는 소미는 가장 좋은 말을 고르고 싶어 하는 티가 났다. 활짝 웃어 보조개가 들어간 볼에는 한 줄기 이슬이 흘렀다. 이곳에 와서 처음 보는 소미의 눈물이었다. 나는 같이 울컥하는 감정을 억누르며 말했다.

"행복했다면서 울긴 왜 울어. 나도 정말 고마웠어. 음⋯⋯ 내가 연기하는 게 왜 다시 행복해졌을까, 왜 눈빛이 변했을까 생각해 봤어. 여기서 마음 편히 여유를 느껴서? 아무 조건 없이 하고 싶은 걸 다 누릴 수 있어서? 말도 안 되는 능력으로 평생 못해 볼 경험을 할 수 있어서? 물론 그런 것들도 좋았지만, 결정적인 이유는 다른 기억들이었어. 첫날 너와 진하 할아버지와 대화를 나눴을 때, 사실 내 얘기를 솔직하게 해본 게 처음이었거든. 너무 떨렸는데⋯⋯ 힘들어도 괜찮다고 위로받는 느낌이었어. 그리고 진하 할아버지가 마지막 인사 때 해 주셨던 말, 얼마 전 공연 때 들었던 얘기들…. 그런 기억들이 내 마음을 점점 나아지게 만든 것 같아. 여기 들어오기 전까지 나는 영원히 괜찮아질 수 없을 줄 알았는데, 괜찮아지는 방법은 생각보다 복잡하지 않더라. 행복의 순간들에 매번 있어 줘서 고마웠어. 나 꼭 좋은 배우가, 그리고 행복한 사람이 될게. 잘 지내, 소미야."

얼마 남지 않은 시간 동안 나의 마음을 전부 담으려 한 마디 한 마디를 꾹꾹 눌렀다. 이야기를 가만히 듣던 소미는 이내 나를 꽉 안았다 놓았다.

"언니 주소로 편지할게. 언니가 답장할 순 없지만……. 혹시 능력으로 꿈에 들어갈 수 있으면 찾아가 볼게! 보고 싶을 거야. 조심히 가."

서로를 바라보던 시선을 거두고 다시 하늘을 올려다보았다. 때가 온 것 같은 느낌이 들었다. 천천히 눈을 감았다. 정말이지…… 꿈만 같은 3개월이었다.

……

"안녕하세요!"

수업이 시작하기 20분 전, 산뜻한 마음으로 학원에 들어섰다. 현실로 돌아오고 6개월이 지났다. 처음 며칠은 적응할 시간이 필요했지만, 곧 아무 일 없었던 듯 학원에서 대부분의 시간을 보냈다. 여유로운 날과 촉박한 날, 괜찮은 날과 힘든 날이 반복되는 변함없는 일상이었지만, 이전보다 행복을 느끼는 순간이 많아졌다. 더 이상 먹고 싶은 걸 모두 먹거나 하늘을 날거나 생각처럼 잘 달릴 수 없다는 게 가끔은 아쉬웠지만, 그래도 지금을 살아가는 게 좋았다. 살아있음을 체감할 수 있어 감사했다.

진하 할아버지는 현실로 돌아온 이후 다시 사진관을 열었고, 그를 그리워하던 사람들이 많이 찾아왔다고 했다. 나도 할아버지의 카메라에 담겨보고 싶어 오늘 사진관에 가기로 했다. 기분 좋은 설렘으로 어떤 옷을 입을지 아침에 한참을 고민했다. 어젯밤 꿈에는 소미가 나왔다. 편지는 세 번 정도 보내왔는데 꿈에 등장한 건 처음이었다. 원래 세계 밖의 꿈에는 들어갈 수 없는데, 소미가 리더에게 한참을 졸라 가능하게 만들었다고 했다. 나는 못 말린다는 표정을 지으면서도 무척 고마웠다. 소미는 내가 없어 심심하다면서도 잘 지내는 듯 보였다. 새로운 룸메이트도 소개해 주었고, 좋아하는 사람이 생겼다며 그 사람 이야기를 하기도 했다. 진하 할아버지를 만나면 소미는 여전하다고 전해 줘야겠다.

수업과 연습이 끝나고 해가 질 무렵, 평소보다 조금 일찍 짐을 챙겼다. 학원을 나서려는데 문 옆에 붙은 포스터 하나가 눈에 들어왔다.

〈장편 상업영화 캐스팅 오디션 / 목숨이 두 개라면 한 번은 죽어볼 텐데(가제) / 감독 이초롱 / 모집 기간……〉

이 감독님의 첫 상업영화 오디션 포스터였다. 목숨이 두 개라면 한 번은 죽어볼 텐데……, 세계를 만나기 전 죽지 못해 살던 나를 한마디로 표현한 문장이나 다름없었다. 그리고 일정 기간 현실에선 죽은 것이나 다름없던 나는, 행복의 세계를 등지고 결국 다시 살아 돌아왔다. 이 작품은 꼭 하고 싶다. 아니, 해야만 한다. 어떤 누가 오디션을 보더라도 내가 제일 잘할 수 있을 것 같다는 생각이 들었다. 죽어버린 눈빛을 살려내 돌아왔다고, 이제 진짜 배우가 될 준비가 되었다고 감독님에게 증명해 보이고 싶었다. 예감이 좋다. 휴대전화 캘린더에 오디션 날짜를 저장하고 학원 문을 열었다. 마음에 조그마한 짐이 더해졌지만, 발걸음은 깃털처럼 가볍다.

이제는 어떤 순간이 오더라도 살아낼 것이다. 아무래도, 사는 게 더 낫다.

꺼내먹는여행

얼렁뚱땅채작가

**얼렁뚱땅
채작가**

안녕하세요, 얼렁뚱땅채작가입니다.남들은 진로를 정해 앞으로 나아갈 시기에 얼렁뚱땅이나마 하고싶은걸 찾고 경험해보고 있는 철없는 작가 입니다. 하루를 성실히 마치고도 자신의 길이 맞는지 의문스러운 저같 은 청춘을 위한 글을 쓰고싶습니다.저의 첫글은 독자들이 기분좋게 읽 을 수 있는 쉬운 남미여행 기행문을 준비했습니다. 한명의 독자라도 잠 시나마 걱정을 떨치고 피식했다면 저의 하루는 만족스러울 것 같습니다.

instagram : @ttungddang__story

페루 군인들이 거리로 나와 총을 들고 서있었다.

생필품이나 음식을 사기위해 거리로 나설 때는 단 한명만 출입명부를 작성하고 나가야 하는 생활을 2주째 지속하고 있다. 나름 그 생활에 익숙해져 침대에 앉아 창밖으로 요가를 하고 있는 외국인들의 모습을 보고 있으니 갑자기 휴대폰이 시끄럽게 울린다.

"남미사랑"이라는 남미여행 정보를 공유하기 위한 단체 카톡방이었다. 현재 페루에 계신분들은 메일을 한번 확인해보라는 말이었다. 평소에 메일은 확인해본 적이 없기 때문에 300여건이 쌓여 있는 메일함에 들어가니, 발신자가 이외의 인물이어 눈을 비비고 다시 확인해본다. 외교부라니?

"도망친 곳에 낙원은 없다" 라고 했던가, 내가 도망쳐 도착한 곳은 인생의 낙원이었다.

혼자 여행을 즐기게 된 이들이 여행을 시작하게 된 이유는 각기 다르다. 현재의 삶이 힘들고 지쳐 도망치듯 여행을 떠나거나, 새로운 경험을 도전해보고 싶다던 가의 이유말이다.

나의 경우는 전자였다. 고등시절을 정말 활기차게 보냈던 나는 가장 친하다고 생각했던 친구와 대학교 같은 과까지 진학하였으나 흔히 말하는 일방적인 손절을 당했고 대학시절을 홀로 보내게 되었다. 항시 주변에 사람이 가득했고 인간관계에서 리더의 역할을 가지고 있던 나는 처음 겪어보는 상황인 터라 그 충격은 상당했다. 처음해보는 혼밥, 맨 뒷자리에 앉아 듣는 수업, 눈치 보며 들어간 과방에서 나를 불편해하는 눈빛들이 쌓여 불쾌한 하루를 만들어냈다. 항상 활기가 가득했던 나는 어느새 눈치를 보는 사람이 되어가고 있었고, 꺾일지 모르던 나의 자존감은 흔적조차 찾아볼 수 없게 짓밟혀 있었다.

의존을 모르던 내가 잘 맞지도 않던 당시에 여자친구에게 의존하게 되었을 때, 매일 밤마다 혹여나 내가 우는 모습을 어머니에게 들킬까 이불을 머리끝까지 뒤집어쓰고 자는 척을 할 때, 그리 좋아하던 운동도 안하고 나를 방치할 때, 아 도망 가야겠다 라는 생각이 들었다.

이 생각이 들자마자 휴대폰을 켜고 밤새 여행지를 검색했다. 나는 평소에도 여행을 좋아했지만 항상 친구들과 여행을 떠나거나 가까운 여행지만 찾아다녔었다. 하지만 당시는 인간관계에 너무나도 지쳐 있었고 새로운 환경을 보고싶은 마음에 지구 반대편에 있는 나라들을 주로 검색해봤다. 유럽을 갈까 라는 막연한 생각에 결정을 하려던 찰나, 유튜브에서 에콰도르 갈라파고스 제도의 다이빙 영상이 스쳐 지나갔다. 정말 짧은 영상이었지만 내 마음을 남미로 돌리기엔 충분했다.

밤새 인터넷으로 남미에 대하여 검색하고 있으니 날이 밝은지도 모르고 있었다. 거칠게 쳐져 있는 커튼 사이로 밝은 빛이 들어오더니 휴대폰을 비쳤다. 그제서야 나는 날이 밝았다는 것을 인지하였고 그 빛이 마치 도망을 선택한 나를 위로해주고 응원해주는 것 같아 부스스한 머리로 일어나 커튼을 열고 집을 나서 1년짜리 휴학계를 냈다.

휴학을 하고 나서는 책상에 앉아 반년의 아르바이트 계획과 반년의 여행계획을 세웠다. 백화점 온라인쇼핑몰 아르바이트, 고급 맥주집과 당구장 등 이것저것 아르바이트를 하며 6개월 간 1200만원을 모았다. 아르바이트를 하는 중간중간은 남미여행을 가기 위해 준비도 철저히 했다, 마음에 드는 바람막이도 샀고 트래킹화 등 필요한 물품들도 준비하고 황열병 예방접종과 스페인어 과외도 틈틈히 받고, 볼리비아를 위해 비자도 발급받았다.

내가 세운 6개월간의 남미계획은 멕시코를 거쳐 콜롬비아부터 시작해 아르헨티나로 끝이나는 반시계 방향 루트였다. 보통 내 계획과 반대로 시계방향 루트로 많이들 여행을 가던데 나는 아르헨티나를 여행 마지막 지점으로 잡아 하루 종일 와인 마시며 탱고나 출 계획이었기 때문에 콜롬비아를 시작지점으로 정했다. 여유롭게 둘러보고 싶은 마음에 왕복 비행기 티켓을 제외하고는 아무것도 예약하지 않았다.

시간은 빠르게 흘러 출발을 하는 날이 되었다. 내 몸 크기만한 배낭에 비닐봉지 하나 들어가기 힘들 정도로 채워 넣고 태극기가 달려있는 검정색 가방에도 짐을 한가득 채워 앞뒤로 착용하니 훈련에서 완전 군장을 메고 행군을 했던 일이 잠시 생각나며 피식 웃었다. 집을 나서며 인사를 하자 어머니는 걱정이 한가득인 마음을 애써 감추고 웃으며 신종 바이러스가 생겼다니 몸 조심하라는 한마디만 하셨다.

공항에 도착하여 이제야 실감이 나 두근거리는 마음을 안고 비행기 체크인을 했다, 체크인을 하고 돌아보니 혼자 멕시코행 비행기를 타는 건 나 밖에 없는 것 같았다. 우두커니 혼자 서있는 모습의 심취했는지 아니면 내 계획을 성취했다는 생각이 들었는지 스스로가 멋있어 보여 만족스러웠다.

비행기 창가자리에 탑승해서는 미리 다운받아 놨던 노래들을 들으며 창밖을 봤다. 비행기가 이륙하는 시점에서 대학시절부터 비행기에 앉아있는 시간까지의 과정들, 그 응어리진 무거움을 저 밑에 내려놓는 기분과 내가 계획했던 것들을 변함없이 해내었다는 성취감이 뒤섞여 그 때 당시 처음으로 경험해봤을 벅참이라는 감정이 찾아왔다.

그 감정을 만끽하고 있을 때, 지코의 〈아무노래〉가 나왔다. 지금까지도 그 노래를 다시 들으면 몽글몽글하고 벅차다.

콜롬비아에서 연예인체험하기

24시간 정도가 지나 콜롬비아 보고타에 도착했다. 비행기가 연착되어 도착한 시간이 자정이 넘었다. 혼자 새벽에 숙소 체크인을 하고 편히 잠들기에는 힘들 것 같아 한인 민박인 "은혜네 민박"을 예약했는데 사장님이 정말 친절하게도 그 자정이 넘는 시간에 공항까지 픽업을 와주셔 편하게 체크인을 하고 잠을 청했다.

다음날 아침, 첫날의 일정은 뚱뚱한 모나리자로 유명한 콜롬비아의 대표적 화가 페르난도 보테로의 작품이 전시 되어있는 보테로 박물관에 방문하는 것이었다. 드디어 지구 반대편에서의 첫날이다! 라는 설렘을 가득 안고 집밖으로 나오자 나를 반겨주는 것은 커다랗지만 온순한 개들과 모래 냄새였다. 노란색의 건물들을 보며 거리를 걷자 이국적인 풍경과 한층 더 짙어지는 모래냄새에 기분이 좋아졌다. 고층 건물은 잘 찾아볼 수 없는 노란색의 거리를 지나 보테로 박물관에 도착을 하자 세련된 외관에 한번 놀라고, 학교에서 단체관광을 왔는지 박물관을 가득 채운 학생들의 모습에 한 번 더 놀랐다. 학생들이 조금 빠지기를 기다리며 복도에서 외관사진을 담아내고 있던 중 갑자기 여학생들이 우르르 몰려와 한국인이냐고 묻기 시작했다.

한 번에 나의 국적을 알아본 학생들의 모습에서 대충 걸쳐 입은 검정색 긴팔티에 여행모자, 크록스를 신은 이 모습이 한국인의 대표적인 모습인가 싶어 잠시간 속상하였지만, 학생들은 내 가방에 붙어있는 태극기를 가리키고 있었다.

안도의 한숨을 내쉬며 그렇다고 대답해주자 정숙 해야 할 전시회의 장소인 박물관에서 소리를 지르며 다른 친구들을 불러모았다. 이게 말로만 듣던 인종차별인가? 거리에 동양인이 한 명도 없더라니 신기함을 이렇게 표현하는 것인가? 도망은 어디로 쳐야 할까 등 수많은 생각이 스쳐가며 상황을 타개할 방법을 고민하던 중, BTS와 같은 국적의 사람이라며 같이 사진을 찍어달라는 요청들이 들어왔다. 얼떨결에 30여분 간 그 많은 여학생들과 사진을 찍어주자 학생들은 용건이 끝났다는 듯 꺄르륵거리며 신기루처럼 사라졌다.

이 에피소드 이후에 혼자 여행 온 상황에 대한 경계심이 사라지고 즐겁게 놀다 귀국 해야겠다 라는 생각이 커졌다. 아직까지도 당시의 상황을 생각하면 BTS와 같은 국적이라고 그렇게 반가워 해주심에 대한 감사함과 그 추레한 모습의 한국인을 그래도 한국인이라고 사진에 담아가게 만든 죄송함이 공존하고 있다. 만약 추후에 다시 여학생들을 뵙게 된다면 좀 꾸민 모습으로 한장 찍어드리고 싶다.

보고타에서의 마지막 날, 콜롬비아에서 유명한 몬세라테 전망대를 보기 위해 택시를 타고 갔지만, 당일 급작스럽게 케이블카가 고장이 나 아쉽게도 전망대를 보지는 못했다. 그래도 콜롬비아에서의 메인은 카르타헤나 라는 소도시였기 때문에 아쉬움을 뒤로하고 남은 일정을 즐기다 비행기를 타고 카르타헤나로 향했다.

인생을 즐기는 그대

콜롬비아 여행의 메인으로 잡아 뒀던 카르타헤나에 도착하자마자 택시를 타고 숙소로 이동하였다. 숙소를 이동하던 중 택시 사이드미러로 보이는 노을과 그 노을이 비치는 바다, 살짝 열려 있는 창문에서 풍겨오는 바다냄새와 선선한 바람이 합쳐져 내 마음을 풍요롭게 만들었다. 왠지 시작이 좋은 카르타헤나였지만 첫날 한인 민박을 제외하고는 일주일 간 동양인을 본적이 없어, 정말 콜롬비아에서는 동양인을 보기 어렵겠구나 라는 약간의 아쉬움이 있었다. 그런데 나와 같은 아쉬움을 가지고 있던 사람들이 있었는지 남미사랑 단체톡방에 혹시 지금 카르타헤나인 한국인이 있다면 만나서 같이 놀자 라는 글이 올라왔다. 그 글에 답장을 하고 쾌적한 숙소에 체크인을 하고 보니 답장이 와있었다. 메인 광장에서 오후 한시에 보자니, 첫 동행이어 설레기도 하였고 한편으로는 이상한 사람을 만날까 걱정이 되기도 하였다.

한시에 숙소를 나서자 날씨는 너무나도 좋았다, 평소에도 처음 가는 길을 잘 못 찾는 나였고 그 길에 있는 벽화들이 아름다워 발걸음을 무겁게 만든 탓에 여유롭게 숙소를 나섰는데도 불구하고 한시가 넘어 있었다.

서둘러 메인 광장에 도착을 하자 구석에 있는 야장 카페에서 한국인 두 명이 앉아있는 모습이 보였다, 그 많은 사람들 중 한국인은 한눈에 찾아지는 것이 신기했다. 멀리서 봤는데도 두 명 모두 또래의 여성분이었다. 가까이 다가가 인사하며 통성명을 하자 일행으로 착각했던 두 명의 여성분도 처음 본 사이였다. 이렇게 나까지 세명의 일행이 완성되었다. 나이마저 나랑 한살 차이 밖에 나지 않는 누나들이어 즐거운 여행이 될 것 같았다.

첫인상과 마찬가지로 카르타헤나에서 만난 동행은 일주일만 함께 여행을 한다는 게 아쉬울 정도로 잘 맞았다. 우리는 일주일 내 새벽까지 술을 마시며 클럽을 가기도 하고, 바다를 놀러가 선베드에서 낮잠을 자며 하루를 보내기도 하고 노래가 흘러나오면 모든 사람들이 춤을 추고 보는 이 도시에 섞여 흥을 억누르지 않는 하루를 지내기도 했다.

공교롭게도 모두가 카르타헤나를 떠나는 날이 같아, 마지막날에는 야장에서 술을 마시며 처음으로 얌전히 대화를 나누었다. 둘 중 한 명은 대학을 졸업하고 세계여행을 다니며 영상편집을 공부하는 중이었는데, 고등시절부터 한가지 꿈만 바라보고 달렸던 나에게 세계여행을 다니며 지내는 인생 이야기는 새로운 충격이었다.

단순히 철이 없는 젊은 날의 용기라 생각을 하는 사람도 있겠지만, 당시 나는 누군가 정해 놓은 길이 아닌 자신이 즐겁다고 생각하는 일을 끊임없이 탐구하고 결정해 나가는 그 사람의 모습이 멋있어 보였다.

여행을 다녀온 지 약 4년여가 흐른 지금, 그 사람은 유명한 프로그램의 편집자가 되기도, 다시 세계여행자가 되기도, 프리 다이빙 회사의 직원이 되기도 하였다.

얼마 전, SNS에서 "인생은 모두 부업일 뿐, 자기 자신을 아는 것이 본업이다. 부업에 목숨걸지말고 본래의 할일로 돌아오라 재가되기전에" 라는 글을 봤는데, 이 글에 딱 맞는 삶을 살고 있는 사람이지 않나 싶다.

나는 감히 시도해보지 못할 인생을 살고 있는 그 누나가 지금도 멋있다.

북한인 아닙니다

카르타헤나에서의 일주일이 지나고 나와 동행 두명은 각기 다른 목적지의 비행기표를 지녔었다. 나는 페루행 비행기표를, 남은 두명은 다시 콜롬비아의 메데인이라는 목적지를 말이다. 이미 정이 많이 들어 페루행 비행기표를 취소하고 누나들과 함께 메데인으로 가려 결정했다.

한국에서의 서비스를 생각하고 늦장을 부리다 공항에 늦게 간 것이 패착이었을까, 아니면 공항에서 영어를 하는 사람이 없는 타지에서 나의 짧은 스페인어가 통하리라 믿었던 방심이 패착이었을까, 카운터에서 뜬금없이 비자를 달라고 했다.

한국인은 비자가 필요 없을텐데, 티켓 취소 후 메데인 행은 어떻게 발권할까 등 예상치 못한 상황에 직면하니 걱정이 밀려왔다. 휴대폰으로 미리 처리했어야 하는데 라는 후회는 잠시, 이미 누나들은 먼저 체크인을 하고 게이트 줄을 서러 이동한 상황에 혼자 애처롭게 꼬레아 델수르…(대한민국) 만 하염없이 반복하고 있었다.

내가 애처롭게 보였는지 공항 카운터 직원은 그나마 영어를 할 수 있는 직원을 데려왔지만 그 직원이 하는 말은 나를 더 당황스럽게 만들었다.

"노쓰코리아, 노비자, 노 고"

북한이라니? 내가 하염없이 반복했던 코레아 델수르는 무엇이었단 말인가? 그럼에도 내가 할 수 있는 건 없었다, 벌개진 얼굴로 열심히 번역기를 돌림과 동시에 여권을 가르키며 코레아 델수르를 반복하는 방법을 제외하고는 말이다. 급기야 카운터 직원들은 해결할 수 없는 문제라 생각했는지 다음 사람을 불러오기 시작했다.

그 때, 탑승마감시간이 다 되어가는데 내가 나타나지 않자, 동행 중 한명이였던 스페인어에 능통한 누나가 나를 찾으러 왔다. 반쯤 포기하고 숙소를 찾으려던 나의 나약함을 탓하게 되는 등장이었고 그 후에는 일사천리로 체크인을 마쳤다.

기존의 페루행 비행기도 탑승시간이 아슬아슬한 상황이었고, 이미 누나들이 타는 메데인행은 수속 체크인이 마감되어 함께 메데인으로 가고자 했던 상황은 무산되었다.

우리는 그렇게 공항에서 아쉬운 작별인사를 하고 혼자 페루행 비행기에 몸을 실었다. 당시에는 속상함이 컸지만 지금 생각해보면 다소 이른 이별이었기에 지금까지도 연락을 하며 지내고 있는 거라 생각이 든다. 또 그 뒤에 더 좋은 인연을 만나게 될 운명이었던 것 같아 아쉬움이 남아있지는 않다.

국제번호를 외우자

페루에 도착하니 자정이었다. 바로 페루의 와라즈라는 도시로 이동하기 위해 택시를 타고 터미널로 향했다. 공항에서의 에피소드를 통해 미리 예약을 해야겠다는 생각이 들어 슬리핑 버스를 미리 예약하고 도착을 했지만 터미널의 크기에 압도당하여 길을 찾을 수 있을까 불안했다. 그런데 기사님이 택시를 주차하고는 내 휴대폰의 예매창을 한번 보더니 버스 회사로 안내해주었다. 이 호의에 굉장한 감사를 느끼고 있었는데, 갑자기 배가 고프지 않냐며 자리를 뜨더니 잠시 후 핫도그와 페루에서만 판다는 잉카콜라를 사와 내게 주었다. 더 나아가 버스를 타는 곳까지 안내를 해주고 내가 버스를 타고 출발하자 그제서야 돌아갔다.

이렇게 나는 페루에 온지 몇시간 채 되지 않아 친절한 사람들의 매력과 여유로운 기사님의 태도에 페루라는 나라가 좋아졌다. 그러나 버스가 출발하고 나서 내 마음은 편하지가 않았다. 기사님이 한국인 친구가 사귀고 싶었다며 밝게 웃으며 번호를 물어보셨고, 감사한 마음에 번호를 찍어 드렸으나 국제번호를 헷갈려서 일본 국제번호를 드렸기 때문이다.

그리고 그 사실을 버스가 출발하자마자 깨달았다. 손을 흔들며 해맑은 미소로 배웅해 주셨는데, 그 미소가 지워질 생각에 마음이 불편했다. 다시 만난다면 말씀드리고 싶다, 고의로 다른 번호를 드린 게 아닙니다 선생님……

페루의 와라즈

8시간의 수면버스를 타고 와라즈에 도착했다. 고급 수면버스라 그런지 좌석이 180도로 눕혀져서 굉장히 편안하게 왔다. 와라즈의 온 이유가 투어를 하기 위해서라 도착하자마자 투어를 예약하러 다녔다. 가장 먼저 파스토루리 빙하 투어와 69호수 트래킹 투어를 예약을 하고자 했는데, 69호수가 3200M의 고산에서 시작해 4600M까지 오르는 힘든 코스라 버스투어를 하면 시간 내 내려오기 힘들 것 같았다. 더군다나 고산을 경험 해본적이 없기 때문에 걱정이 더욱 컸다. 이러한 이유로 69호수는 다음날에 알아보도록 결정하고 파스토루리 투어를 떠났다. 투어를 진행하면서 너무 귀여운 알파카들과 사진도 찍고, 빙하의 웅장함에 대비되어 자연속에 인간은 덧없이 작은 존재라는 생각을 했다. 이를 기념하고 싶어 외국인에게 사진을 부탁했다.

역시 사진은 한국인이 잘 찍는다.

파스토루리 투어를 마치고, 숙소 앞에 있는 치킨집에서 혼자 밥을 먹었는데, "꾸스께냐"라는 맥주의 맛과 가격에 놀랐다. 사실 콜롬비아에서는 마음에 드는 음식이 없었던 터라 음식 부분에서는 다소 실망스러웠는데 여기 치킨과 맥주는 정말 맛있다. 더군다나 치킨 한마리에 맥주 한 병이 5200원이라니, 최고다 페루.

치킨의 맛에 취해 맥주를 거나하게 마시고 숙소로 돌아오고 나서야 아까 예약하지 못했던 69호수 트레킹이 생각났다, 그 때 마침 남미사랑 단톡방에서 동행을 구한다는 카톡이 왔다. 첫번째 동행과의 기억이 즐거워서였을까 나는 곧바로 연락을 했고 다음날 시내 구경과 투어 예약을 할 겸 와라즈 아르마스 광장에서 만나자는 연락을 나누고는 잠에 들었다.

일찍 일어나 조식을 먹기 위해 호텔 식당으로 내려갔다. 조식은 간단한 빵과 누텔라, 그리고 알 수 없는 과일이었는데 그 과일이 정말 맛있었다. 조식을 기분 좋게 먹고 동행을 만나기 위해 밖으로 나갈 준비를 하는데 호텔 직원이 나를 보며 손가락으로 눈을 찢고는 웃고 있었다. 이게 말로만 듣던 인종차별이구나, 직접 당해본 적이 처음이어 분노보단 신선한 신기함이 먼저였다. 하지만 신기함은 잠시였다. 그냥 무시하고 호텔을 나가려던 찰나, 다른 종업원까지 합세하여 같은 행동을 반복했다. 갑자기 감정이 격해져 불같이 화를 내고 싶었으나 내 짧은 스페인어 능력으로는 스스로의 화만 돋굴 뿐이었다. 나는 머릿속으로 어떤 말을 해야 할지 고민하다 결국 뒤로 돌아 가운데 손가락을 치켜세웠다.

지금 생각해보면 미친 짓이지만 당시의 상황은 내 행동으로 인해 잘 풀렸다. 종업원들이 번역기를 열고는 기분 나쁠지 몰랐으며 동양인을 보기 힘들어 신기함에 했던 행동이라며 연신 사과를 했다. 그 말을 완전히 믿는 것은 아니지만 다음부터 하지 말라며 씩씩대고는 호텔을 나왔다.

호텔을 나오고서도 감정이 잘 정리가 되지 않았다. 처음 당해본 인종차별이어 그런지, 오랜만에 화가 나서인지 심장이 쿵쾅거리는 소리가 귀까지 들리는 것 같았다. 그렇게 다소 흥분한 상태로 동행을 만나기 위해 아르마스 광장으로 향했다. 호텔에서 실랑이를 벌이는 동안 시간이 지체되어 동행이 먼저 도착했다는 연락이 왔다. 뒤이어 도착하여 주위를 둘러보았다. 한국인이라면 한눈에 찾을 수 있을거라 생각했는데 알파카들과 그 알파카와 사진을 찍으려는 인파가 모여 있어 잘 보이지 않았다. 그 때 누군가가 그 사이에서 빼꼼 고개를 내밀었다. 동그란 얼굴에 커다란 눈, 오밀조밀 모여 있는 코와 입술을 가지고 있어 뱁새가 딱 떠오르는 귀여운 인상을 가진 또래의 여성분이었다. 69호수 트레킹이 지대가 높아 생각보다 많이 힘들다던데, 내가 챙겨야 하지는 않을까 라는 생각과 오랜 시간 같이 걸어야 하는데 또래라 즐겁게 투어를 할 수 있겠다 라는 생각이 들었다.

그녀와 시장을 둘러보고, 이야기를 나눴다. 나와 동갑이었고, 내가 한국에서 남미로 떠나는 날, 마찬가지로 혼자 여행을 떠났다고 한다. 각자 콜롬비아와 에콰도르라는 출발지는 달랐지만 와라즈에 도착한 날도 같았다. 다시 한국으로 돌아가는 비행기 날짜도 같은 거 아니냐며 장난을 치다 혹시나 하는 마음에 확인해보자 복귀날짜도 같았다. 서로 이런 인연이 있냐며 추후에 가끔 도시가 겹치면 밥이나 먹자는 약속을 하며 투어 예약을 하러 이동했다. 둘 다 지대가 높은 고산 트레킹은 처음이었고, 시간 내 내려올 자신이 없어 프라이빗 택시투어를 예약했다. 다른 버스투어보다 일찍 출발하여 늦게 내려오는 투어였다. 새벽 일찍 출발하기 때문에 저녁을 먹고는 바로 숙소에 들어가 잠을 청했다. 둘만 투어 장소까지 이동하기에 좀 더 친해질 수 있겠다는 생각이 들었다.

69호수 트레킹, 나 이런게 안무서워하네

다음날, 이른 새벽 택시를 타고 69호수로 향했다. 택시를 타고가는 약 3시간정도 많은 이야기를 나누었다. 아이스크림 취향부터, 어떤 일을 하고싶은지, 어떤 사람인지 등등 이야기를 할수록 취향과 생각하는 방향이 나와 잘 맞는 사람이라는 생각이 들었다. 그렇게 이른 새벽에 출발했으나 피곤한 줄 모르고 도착할 때까지 수다를 떨었다. 트레킹 입구에 도착해 택시에서 내리자 온 세상이 초록색이었다. 맑고 청량한 하늘과 시야를 뒤덮은 풀, 싱그럽게 느껴지는 풀냄새가 너무나도 완벽했다. 조금 걸어가자 졸졸 흐르는 시냇물과 그 사이에서 평온한 자세로 앉아있는 소들이 있었다. 그 평화로운 광경에 이런 장관들만 펼쳐진다면 별로 힘들지 않을 것 같은데 라는 생각을 잠시 했다. 어리석게도

평소에 등산을 좋아하는 사람이라면 고산병만 주의할 시 어렵지 않다 하던데, 내가 등산을 안해서인지 고산이 힘든 것인지 2시간 여 올라가니 주변 광경을 신경 쓸 겨를이 없었다. 옆에 같이 등산을 하고 있는 그녀를 보니 마찬가지인 것 같았다. 그래도 힘든 내색 없이 묵묵히 걷는 걸 보니 대단하다는 생각이 들었다. 어느새 버스투어로 온 다른 사람들이 우리를 추월해 올라가고 있었다. 평소라면 승부욕이 발동해 이 악물고 올라갔겠지만, 고산이어 그런지 정말 한걸음을 뗄 때마다 심장이 터지는 것 같았다. 나도 모르게 욕이 입밖으로 새어 나왔

다. 옆에서 걷고 있던 그녀가 살짝 흠칫하는 것 같더니 본인도 욕을 하기 시작했다. 그렇게 우리는 만난지 이틀만에 친한 친구의 바이브가 되어갔다.

거의 정상에 도달한 시점, 이제 먼저 우리를 추월했던 사람들이 하산하고 있었다. 우리가 안쓰러웠는지 외국인 등산객들이 소금을 건네주며 5분남았다고 했다. 그러나 20분을 더 올라가서야 정상에 도착했다. 소금은 감사했지만, 5분이라는 말씀은 다소 원망스러웠다. 어찌저찌 정상에 도착하자 펼쳐진 광경은 그간 고통을 이겨낼 정도로 만족스러웠다. 시야의 위쪽으로 펼쳐진 빙하와 그 아래 파스텔 색으로 아름답게 빛나는 호수, 그 위에 비쳐지는 윤슬까지 지금 생각해도 이런 광경은 다른 여행지에서 본적이 없다. 만약 남미여행을 계획하는 사람이 있다면 69호수는 꼭 가보라고 하고싶다. 만약 하산하면서 누군가를 만난다면 꼭 5분남았다고 전해주길 바란다. 나만 당할수 없지.

정상에 도착하여 사진을 찍고 앉아서 휴식하고 있는데, 그녀가 가방에서 주먹밥을 꺼냈다. 정상에서 먹으려고 나의 몫까지 어제 저녁에 손수 만들었다고 한다. 안 그래도 일찍 출발하는 투어였는데, 요리를 하기 위해 장을 보고 늦게 잤을 정성을 생각하니 고마웠다.

그렇게 늦게 도착했음에도 정상에서 실컷 여유를 부리다 하산하기 시작했다. 하산의 길도 만만치 않았다. 내 몸은 고산에 적응할 생각이 없는지, 심장이 계속 쿵쾅였다. 이제는 오히려 옆에 있는 그녀가 나보다 더 잘 내려가고 있었다. 속으로 대단하다 생각하며 계속 하산을 하는데 급작스레 어두워지기 시작하더니 비가 쏟아져 내리기 시작했다. 빠르게 나머지 산을 내려와 물줄기가 졸졸 흐르던 초입까지 도착을 하였는데, 이제는 물줄기가 이미 하나의 강이 되어가고 있었다. 그러나 가장 큰 문제는 비가 아니었다. 국립공원을 나가는 출입구는 닫혀 있고 사람은 한 명도 없다는 게 가장 큰 문제였다. 단 한 명도 말이다. 국립공원이다 보니 18시 어간에 문을 닫는데, 우리가 이를 인지하지 못하고 너무 늦게 내려온 것이었다. 휴대폰은 통신불가 상태, 비는 계속 쏟아져 내리고 물은 점점 불어 나고 있었다.

　옆에 내 또래의 그녀가 초롱초롱한 눈빛으로 나를 바라보고 있어서였는지 분명 절망스러운 상황이었는데도 마음은 이상하리만큼 평온했다. 이제 어떻게 하냐는 그녀의 말에 덤덤하게 "누군가 구하러 오겠지, 정 안되면 저기 돌 밑에서 자면 되겠다" 라고 말했다. 분명 안심시키기 위해 했던 말이었는데 그게 믿음직스럽지 못했는지 그녀의 눈에 눈물이 고이기 시작했다. 나는 그제서야 상황에 심각성을 깨닫고 비상용 손전등을 흔들며 PERDON(실례합니다)을 연신 외쳤다. 스페인어 과외에선 살려주세요를 안 배웠기에 가장 먼저 떠올랐던 말이었다. 그렇게 손전등을 흔들며 허공에 소리를 지른지 20여분이 지났을까, 출입구에서 인기척이 느껴지기 시작했다. 혹여 들짐승일까 긴장하며 다가가자 앞에서 느껴진 인기척이 빠르게 달려와 출입구에 매달렸다. 우리 택시투어의 기사님이었다.

친절한 기사님은 우리가 시간이 되어도 나오지 않자 한시간을 찾아 헤맸다고 한다. 그럼에도 우리에게 짜증한번 내지 않으시고 인자한 미소를 띄며 안전하게 도시로 이동시켜 주셨다. 페루는 정말 친절한 사람들이 많다는 걸 다시 한번 느꼈다. 지금 생각해보면 아찔한 경험이었지만 나는 정작 큰일에 무덤덤해진다는 것을 새롭게 발견했다. 나 이런 게 안무서워하네.

페루의 리마

21시가 넘은 시각, 도시에 도착한 우리는 늦은 저녁을 먹기위해 근처 피자집을 들어섰다. 피자와 맥주를 마시며 오늘일에 대해 수다를 한창 떨었다. 수다를 하면 할수록 관심사와 대화코드가 잘 맞는 모습, 트레킹에서 나보다 더 잘 내려오던 모습에 이번 투어만 하고 헤어지기엔 아쉽다는 생각이 들었다. 진지하게 향후에 일정을 묻자, 페루의 하이라이트인 마추픽추 여행 전까지는 얼추 맞았다. 동선도 얼추 맞겠다, 냅다 마추픽추 전까지 동행신청을 하자 그녀도 흔쾌히 알겠다고 했다. 그렇게 페루 여행 메이트가 된 우리는 와라즈에서의 남은 일정을 마치고 페루의 수도인 리마로 향했다.

　아무래도 여성과의 동행이다 보니 숙소 장소를 선정하는데 있어 치안을 더 신경쓰게 되었다. 더군다나 남미의 특성 상 나라의 수도는 빈부격차가 극심하여 치안이 더 안좋았다. 치안과 깔끔한 숙소를 가고싶어 조건들에 부합한 한인 민박으로 향했다. 그렇게 도착한 한인민박은 생각보다 더 좋았다. 로또라는 귀여운 고양이와 친절한 아주머님, 커다란 대문과 마당을 잇는 통창 거실이 있어 하루 종일 거실에 앉아있어도 행복해질만한 집이었다. 하루는 민박에서 저녁을 준비하는데 투숙객들이 가위바위보를 하여 진사람이 장보기와 요리를 담당하기로 했다. 설마설마 했는데 내 동행인 그녀가 졌다. 시원하게 웃으며 잘 다녀오라 인사를 하자 내 옷 손목자락을 잡으며 같이 가달라 이야기했다. 옆에 고양이인 로또가 나를 쳐다보고 있었는데, 그녀도 별다르지 않은 눈망울로 쳐다보며 이야기하니 못이기는 척 따라갈 수밖에 없었다. 오늘 저녁메뉴로 결정된 것은 떡볶이였다. 마침 숙소 근처에 한인 마트가 있어 장을 보러 이동했다. 여러가지 재료들을 골라 장을 보고 마트를 나왔다. 그녀는 나오자마자 방금 계산한 마이쮸를 먹으면서 짐을 나에게 넘겼다. 나는 두손 가득 짐을 들고 이러려고 나데려온거였구만 하고 장난을 쳤다. 그녀는 그런 나의 모습에 헤헤하고 웃더니 백허그를 하며 내 주머니에 쓰레기를 버렸다. 그 웃음이 너무 예뻐 고산지대에 있지도, 인종차별을 겪지도 않았지만 뜬금없이 심장이 쿵쾅거렸다.

다된 여행에 코로나 뿌리기

와라즈에서부터 함께한 동행과 더불어 한인 민박에서 만난 사람들과 리마에서의 평화로운 나날을 보내고 있었다. 그 날도 어김없이 혼자 산책을 하고 있었다. 그런데 길을 걸어가던 현지인이 나에게 코로나비루스를 외치며 피해갔다. 처음엔 코로나 비루스가 뭐여, 신종 인종차별인가 하고 무시했지만 곧이어 다른 현지인도 나에게 같은 말을 외치며 피해갔다. 그제서야 생각해보니 코로나 바이러스를 말하는 거였다. 남미에서 다니며 중국인이냐는 소리를 몇 번 듣기야 했지만, 이제 인종차별을 바이러스로 하다니 기발하단 생각이 들었다. 숙소로 들어와 찜찜한 마음에 코로나 바이러스를 검색해보니 전 세계적으로 대두되고 있는 전염병이 되어있었다. 분명 여행을 시작할 때까지만 해도 코로나 바이러스의 명칭도 없었을 때인데, 불안한 마음이 피어났다.

그로부터 사막도시에 인공호수가 있는 이카를 다녀오고 나서 며칠이 더 지나서야 우리는 마추픽추의 도시인 쿠스코로 향했다. 도착하여 호텔에 짐을 풀고 나니 저녁이 되었다. 그녀는 이미 마추픽추행 기차와 투어를 예약해온 상태여 혼자 마추픽추 투어를 예약하기 위해 쿠스코 광장으로 향했다. 유럽풍 건물양식으로 둘러 쌓인 광장에서 사람들이 여유롭게 앉아 식사를 하고 있었다. 페루는 도시마다 광장들이 있었는데, 각 도시마다 특색이 전부 달랐다. 와라즈는 아기자기하고 귀여운 느낌이었고 리마는 수도답게 깔끔한 느낌의 광장이었다. 이번에 만난 쿠스코의 광장은 지금까지 다녔던 광장중에 가장 아름답고 가운데 광장에 크기가 커 시원하다는 느낌이 드는 광장이었다. 그런데 남미 여행을 하는 중에 마스크를 낀 현지인을 본적이 없었는데, 쿠스코에서는 드문드문 마스크를 끼고 있는 사람들이 보였다. 리마에서의 일화가 있어서였는지 마스크를 낀 사람들이 더 신경이 쓰였다.

투어를 예약하고 그녀를 불러 저녁식사를 한 뒤 각자의 방으로 돌아왔다. 내일 마추픽추를 가게 되면 이제 동행도 안녕이라는 생각에 그녀의 방으로 향했다. 새벽 세시에 출발하는 일정이었지만 밤 열시가 넘도록 계속 수다를 떨었다. 열한시쯤 되었을까, 이제 짐을 챙기기 위해 내 방으로 돌아가려 했다. 그 때 휴대폰에 문자가 왔다. 남미사랑 단톡방에 뉴스 기사들이 올라오기 시작했다. 그 내용은 충격적이게도 도시 봉쇄령이었다. 코로나 19로 인해 쿠스코를 봉쇄하니 이탈할 여행객은 자정 전에 비행기를 타고 다른 도시로 이동하라는 기사였다. 자정이라면 한시간 남았는데, 혹시나 싶은 마음에 바로 비행기를 확인해보자 1시간 거리의 도시가 200만원이 넘었다. 여행사에서 온 문자를 확인해보자 도시 봉쇄령으로 마추픽추 투어가 전면 취소되었다는 문자였다.

무슨 상황인지 아직 파악도 제대로 못했을 때, 호텔 직원이 찾아왔다. 도시 봉쇄령으로 인해 여행객 인원을 종합해야 하니 장기 숙박 의견을 물어보러 온 것이었다. 가격대가 있던 호텔이었기에 언제 풀릴지 모르는 봉쇄령을 기다리기엔 부담스러웠다. 조금 더 저렴한 다른 숙소를 이용한다 말하고 나니 이제서야 심각한 상황이 실감났다.

20대 중반에 지구 반대편에 있는 남미여행을 가기 위해서는 최소 1년의 여행계획이 필요했다. 여행비 충당과 이를 준비하는 과정에서 상당한 기대를 품에 안고 떠난 여행이었다. 그러나 그런 기대와 달리 자신이 계획했던 일정에 절반도 못한 채 끝이 난다면 누구라도 좌절할 것이다. 더군다나 도시 봉쇄령이어 비행기조차 이제 운행하지 않기 때문에 언제 어떻게 돌아갈 수 있을지도 알 수 없었다.

어떻게 해결해야 할지 머릿속으로 복잡하게 생각을 하다 방금까지 수다를 떨었던 그녀를 바라보자 이미 눈물이 맺혀 있었다. 그런 상황에 나까지 부정적으로 말한다면 상황이 나아지지 않을 것 같았다. 괜찮다 곧 해결될 거라 이야기하자 그녀의 눈에 맺혀 있던 눈물이 쏟아지기 시작했다. 그 마음이 이해가 되어 나는 괜찮다며 토닥여 줄 수밖에 없었다.

하지만 나는 이전 69호수에서 깨달은 바 생각보다 큰일에 무덤덤했다. 방으로 돌아가 숙소를 찾고 어떻게든 되겠지 라며 내일의 계획을 세웠다.

다음날 조금 더 저렴한 숙소를 찾아 예약한 뒤 이동했다. 어제 열심히 토닥여준 결과인지, 아니면 하룻밤 새 적응이 된 건지 그녀는 평소에 활기찬 모습으로 돌아와 있었다. 이동을 마쳐 체크인을 하려는데 숙소 직원이 이미 여행객 종합이 끝나 다른 호텔로 안내를 해주었다. 성격유형도 검사 J로서 참을 수 없는 상황이었지만 어찌할 방법이 없으니 찜찜한 마음으로 따라갔는데 더 마음에 드는 숙소가 나왔다. 가운데 정원을 끼고 ㅁ자 형태로 방이 8개 있는 숙소였다. 정원에서 쭉 뻗은 나무들과 넓은 공간들이 마음을 탁 트이게 했다. 동남아의 구옥 풀빌라 같은 느낌이었다. 각자 방에 체크인을 한 뒤 잠시 쉬다가 생필품을 사러 길을 나섰다.

내 키보다 두뼘가량 높은 대문을 열고 나가자 끼익 낡은 경첩소리가 크게 들려왔다. 눈을 찌 뿌리며 문을 바라보고, 이내 정면을 바라보자 페루 군인들이 거리로 나와 총을 들고 서있었다. 너무 가까이 있어 당황했지만 훈련이나 순찰임무를 받았나 보다 하고 지나가려는 찰나, 우리를 멈춰 세웠다. 도시 봉쇄령이어 생필품을 사기 위한 용무일 경우, 단 한 명만 외출이 가능하다고 한다. 그 외 사유는 불허한다는 단호한 설명을 듣고 얼른 내 이름을 서명하고 그녀를 다시 문 안으로 돌려보냈다.

혼자서 최대한의 식료품과 생필품을 사들고 복귀하다 보니 양손 가득 짐을 들고 왔다. 그 중에는 마트를 보던 중 딱 세개 남아있어 얼른 집어온 불닭볶음면도 있었다. 돌아와 그녀에게 이번엔 주머니에 마이쭈 안 넣냐 장난치니 웃으며 밥해줄 테니 봐 달라고 이야기했다. 이런 예측하지 못한 상황에서 같은 언어로 소소한 대화와 장난을 치며 웃으니 새삼스럽게 나도 그녀에게 많이 의지를 하고 있다는 생각이 들었다.

불닭으로 하나되는 우리

그녀가 한손으로는 라면을 끓이고 한손으로는 베이컨을 굽는 모습을 지켜보며 공용 주방에서 시간을 보내고 있자, 이내 다른 투숙객들이 삼삼오오 주방으로 왔다. 체크인할 때 다른 사람을 못 봐 사람이 많이 없을 줄 알았는데, 모이고 보니 꽤 많았다.

중국인 모녀와 독일인 커플, 혼자 여행 온 캐나다인 한 명과 미국인 부부 그리고 한국인 우리와 페루 숙소 지배인까지 6개국 사람들이 급작스레 모이게 됐다. 지배인을 제외한 모두들 우리와 비슷한 경로로 급작스레 숙소가 옮겨졌는지 서로 처음보는 눈치였다.

그렇게 어색한 분위기가 형성되던 때, 그녀가 만든 불닭볶음면이 완성되었다. 서양인이 대다수여 그런지 그 음식에 굉장한 관심을 보였다. 맵다고 경고하자 그들은 호기롭게 별로 매워 보이지 않는다 대답했다. 그 대답을 들은 그녀와 내가 서로 눈이 마주치자 누가 먼저랄 것도 없이 씩 웃으며 젓가락들을 가져왔다. 아마 나와 같은 생각이지 않았을까 재밌겠다는 생각말이다.

　서양인들의 반응은 굉장히 뜨거웠다. 정말 열광적이었다는 뜻이 아니라 그들의 혓바닥이 뜨거웠다. 한 젓가락씩도 아닌 한 가닥씩 관심을 가지며 호기롭게 도전해 본 그들은 있지도 않은 우유를 찾으며 고통을 호소했다. 그런데 예상과 달리 숙소 지배인이 웃으며 페루의 칠리소스에 비하면 전혀 맵지 않다고 이야기했다. 또 한국인의 맵부심이 발동한 우리는 칠리소스를 달라 호기롭게 이야기했다. 한 스푼씩 커다랗게 입에 넣은 우리의 반응도 뜨거웠다. 아, 물론 열광적이었다는 뜻이 아니라 우리의 혓바닥이 뜨거웠다.

　때아닌 맵 부심 대결과 불닭볶음면에 여파로 어색한 분위기가 삽시간에 사라졌다. 어차피 봉쇄령이 풀리기 전까지 계속해서 보게 될 사이인지라 다들 장을 봐온 술을 꺼내기 시작했다. 우리도 맥주 몇 캔을 꺼내 들고는 한자리를 차지했다. 그렇게 우리는 첫날 밤새 게임을 하고 수다를 떨며 도시 봉쇄령이라는 변수가 가득한 여행의 아쉬움을 달랬다.

그 이후부터 6개국 사람들은 매일 아침 일어나면 다 같이 정원에 매트를 깔고 요가를 하고, 요가가 끝나면 숙소 지배인의 스페인어 수업을 들었다. 스페인어 수업을 듣고 나면 각자 부엌에 가서 취향에 맞는 요리를 해 먹었다. 그러다 저녁이 되면 매일 밤 게임을 하고 수다를 떨며 색다른 경험에 즐거움을 느꼈다. 언제 6개국 사람들이 모여 같이 요가를 하고 스페인어 수업을 듣겠는가?

전세기요?

그로부터 2주가 흘렀다. 생필품이나 음식을 사기위해 거리로 나설 때는 단 한 명만 출입명부를 작성하고 나가야 하는 생활을 2주째 지속하고 있다는 말이다. 나름 그 생활에 익숙해져 늦게 일어나다 보니 이제 요가 시간에도 불참을 하고 있었다. 침대에 앉아 여유롭게 커피 한잔 한잔을 하며 요가를 하고 있는 외국인들의 모습을 보고 있으니 갑자기 휴대폰이 시끄럽게 울린다.

"남미사랑"이라는 남미여행 정보를 공유하기 위한 단체 카톡방이었다. 현재 페루에 계신분들은 메일을 한번 확인해보라는 말이었다. 평소에 메일은 확인해본 적이 없기 때문에 300여건이 쌓여 있는 메일함에 들어가니, 발신자가 이외의 인물이어 눈을 비비고 다시 확인해본다. 외교부라니?

페루에서 이동하지 못하고 있는 한국 교민들을 위해 국가에서 전세기를 띄워준다는 메일이었다. 전세기를 추진하기 전에 인원을 종합하기 위해서였다. 메일을 받고 우리는 전세기를 탈것인지, 좀 더 지켜보다 여행을 지속할지 긴급 회의를 했다. 나는 좀 더 지켜보자는 측면이었으나 그녀가 언제 봉쇄령이 풀릴지 모르는 상황에서 무작정 기다리는 것 보단 우선 한국으로 돌아가자는 의견에 결국 따르게 되었다. 우선 희망한다는 연락을 보내고 나서 다시 자세히 살펴보니 우리가 놓친 부분이 있었다.

다들 전세기라고 하면 떠오르는 생각이 무료라고 생각하지 않는가? 우리도 당연히 그렇게 생각했다. 그런데 밑부분에 가격이 적혀있었다. 내가 기억하기로는 편도 420만원이었다. 왕복 비행기표를 88만원에 샀었는데, 같은 아에로 멕시코 항공기를 타고 돌아가는데 편도 420이라니 정말 당황했다. 지금 생각해보면 전세기를 띄워준 것 만으로 정말 감사한 일이지만 당시에는 정말 큰돈이었기에 많은 고민을 했다. 하지만 이미 명단을 보낸 후고 언제 돌아갈지 모른다는 생각에 그냥 타기로 결정하였다. 그래도 외교부 계좌에 직접 입금하는 경험을 했다……

그로부터 며칠 뒤 전세기를 타는 날이 되었다. 내 살다 살다 외교부에서 띄워주는 전세기도 타보고 참 다이내믹한 여행이라 생각하며 숙소를 나서려는데, 그간 함께해 정들었던 다른 사람들이 인사를 나왔다. 그렇게 인사를 하고 나오니 문자가 왔다. 우리의 뒷모습을 찍어준 독일인 커플의 문자였다. 괜스레 떠나는 발걸음이 무거웠다. 전세기가 뜨는 것을 아는지 둘이 나오는데도 군인들은 막지 않았다.

공항으로 도착한 우리는 생각보다 많은 인파에 놀랐다. 이렇게 많은 한국인들이 쿠스코에 있었다니, 민간 취항이 아닌 전세기이기 때문에 공항 밖에서부터 줄을 서있었는데 누군가 김밥을 건네주었다. 쿠스코에 꼼마라는 이름의 한인민박 사장님이었는데, 이른 아침에 교민들을 위해 새벽부터 일어나 손수 김밥을 만들어 주셨다고 했다. 이 글을 보시진 않겠지만, 얼굴도 모르는 이들을 같은 국적이라고 한 명 한 명 손수 챙겨주신 마음이 정말 감사했습니다.

이렇게 전세기를 타고 한국으로 돌아왔다. 1년을 준비했던 나의 한여름밤의 꿈인 여행은 막을 내렸다. 아니, 코로나로 인해 색다른 경험을 겪게 해주었으니 한코로나의 꿈이라 명명하겠다.

"도망친 곳에 낙원은 없다"라고 했던가, 내가 도망쳐 도착한 곳은 인생의 낙원이었다.

이 여행경험이 없었다면 현재 이렇게 열정적이고 성실히 살고 있지 못했을 거란 생각이 간혹 든다. 혹은 무너져 내렸을지도 모른다. 나에게는 그만큼의 터닝 포인트가 되었던 여행경험이다.

나에겐 여행에서 얻은 많은 사람들이 남았다. 새로운 동기부여를 해주었던 콜롬비아의 누나들, 아직까지 안부를 묻는 사람들과 저 멀리 반대편에서 한국에 놀러올 때면 커피한잔 하는 외국인 친구, 마지막으로 페루에서의 그녀에서 둘도 없는 소중한 그녀가 된 여자친구까지 말이다.

현실이 힘들어 도망쳐 여행을 떠났던 곳에서 다신 겪어보지 못할 경험들을 했다. 이 경험들이 원동력이 되어 몇 년이 지난 지금, 현실을 살게 해주는 힘이 되어주고 있다.

급속 당충전이랄까, 현재의 삶이 지치고 힘들 때마다 꺼내 먹는 달디단 초콜릿과 같은 여행이다.
그대들에겐 이런 꺼내 먹는 추억이 있는가?
그 꺼내 먹는 추억이 닳고 달았는가, 이미 다 먹어버려 없어졌는가?

만약 당신의 현실이 힘들다면, 한 번쯤은 여러분들이 살고 있는 현실에서 도망쳐 각자의 낙원을 찾아보는 것은 어떨까.

나처럼 새로운 변화를 이끌어낼 경험이 될지도 모른다.

원더랜드

앨리스

앨리스 학생 시절 반복되는 등하굣길이 권태롭기만 했고, 늘 새로운 길을 통해 집으로 돌아오려고 노력하곤 했다. 이젠 오랜 시간이 흘러 세월 속에서 잊힌, 가슴 깊이 숨겨두었던 그 아이를 만나고 싶다. 정형화된 세상이 힘 겹고, 가끔은 그림과 이야기 속 환상의 세계에서 노니는 것을 좋아하는 어른 아이로 자신을 소개하고 싶은 저자는 자신처럼 일상 속의 반복과 새로움의 황금률을 찾고 싶은 또 다른 사람들과 소통하고자 글을 쓴다.

내가 이런 삶을 살려고 지난 세월을 그렇게 아등바등 살아왔나? 불현듯 서글픈 생각이 들어 냉장고로 가 맥주를 한 캔 꺼내 든다. 맥주 캔을 따는 청량한 소리와 함께 나의 기억은 20여 년 전으로 거슬러 올라간다. 우리 가족은 남들이 부러워하는 삶을 살았다. 화목하고 풍요로운 가정으로 부모님은 도움이 필요한 주변 사람들에게도 많은 것을 베푸시던 분들이었다. 건설사업을 하시던 아빠는 친구분과 추진했던 큰 프로젝트에서 사기를 당하시고 그 책임을 본인이 끌어안으셨는데, 그 와중에 우리나라는 IMF 외환위기를 겪게 되면서 아빠는 결국 파산신청을 하게 되셨다. 그래도 재기의 기회를 기대하며 궂은일도 가리지 않으시며 억척스럽게 할 수 있는 모든 일을 하셨다. 하늘이 무심하다고 해야 할까? 그렇게 조금씩 안정을 찾아가며 내가 대학에 입학한 얼마 후 부모님이 돌아가셨다. 이후의 내 삶은 경제적으로는 물론 정신적으로도 모두 무너져 내렸다. 그 시절 나를 떠나간 친구들이 생각난다. 전부터 내가 가진 것은 돈 많은 아빠뿐이라며 농담인 듯 비아냥거렸던 친구는 물론, 오랜만에 만난 어릴 적 동네 친구도 우리 집이 정말로 망한 거냐며 재차 확인했고, 그 이후로는 연락이 없다. 오비이락인지, 가난한 고아가 된 친구를 원하지 않기 때문인지. 어쩌면 답이 뻔한 의문도 오랫동안 나를 고민하게 했고, 상처를 주었다. 장학금을 못 받으면 대학을 계속 다닐 수 없어 기를 쓰고 공부했던 모습을 기특하게 보신 지도교수님의 추천으로 들어간 중소기업에서 지금의 남편을 만났다. 나보다 2년 먼저 입사한 직장 선배였고, 그와 함께라면 외로움은 끝날 것으로 생각했지만, 삶이란 그렇게 호락호락하지 않았다. 가진 것이 없던 우리는 서로에 대한 진실한 마음만 가지고 반지하 원룸에서 결혼생활을 시작했고, 열심히 살아왔지만, 고통은 끝날 기미가 보이지 않았다. 이 고통은 내 선택이었을까? 아니면 사회의 규칙이었을까? 시간이 흘러가며 인생의 새로운 단계에 접어들 때마다 늘 처음 만나는 고난이 나를 기다리고 있었고, 나는 어디에 물어볼 곳도, 격려를 받을 곳도 없었다. 그저 혼자 버텨낼 뿐이었다. 약육강식. 어디를 가든 사람들은 약한 나를 알아보았고, 나를 얕잡아보거나, 따돌리며 힘들게 했다. 내가 약한 것인지, 내 배경이 약한 것인지 아마 둘 다인가? 대학을 졸업할 즈음에 바로 일을 할 수 있는 곳이기에 선택했던 직장이 지금의 회사였고, 중소기업이지만 앞으로의 성장을 꿈꾸며 열심히 일했다. 몇 년 전부터 회사 브랜드가 입점한 K 백화점에서 매니저로 일을 하게 되었는데, 품위있는 사람들이 오는 곳이라고 생각했던 이곳에서도 상황은 같았다. 아니 오히려 미묘하게 모멸감을 주는 세련된 사람들이 더 많은 곳이었다. 열심히 살고, 꿈을 이루면 행복이 찾아올 것으로 생각했지만, 불혹을 지난 지금도 삶의 힘듦은 끝날 기미가 보이지 않는다. 외로운 시절 나를 웃게 해준 유일한 사람이었던 남편은 세월이 가면서 주어진 역할에 지쳐가는 것만 같다. 남편의 유머라면 아재 개그라도 웃던 나였는데, 이제는 아재 개그마저도 없어진 지 오래다. 어쩌다 밥이라도 같이 먹게 된 날은 블루투스 이어폰을 꽂은 채 휴대폰 화면만 보기 일쑤다. 우리 집이 본사에서 멀리 이사를 오게 되면서 남편은 본사에 조금 더 가까운 본가에서 한주에 하루 이틀을 지내기 시작했고, 그러면서 내 몫의 집안일이며 아이들 챙기는 일은 더 많아졌다. 남들은 주말 부부가 더 금실이 좋다는데, 우리도 조금은 더 애틋해질 수도 있겠다는 생각이 무색하게 우리는 더 데면데면해졌다. 오늘도 본가로 간다고 연락이 왔다. 그나마 나의 기쁨이었던 아이들도 크면서 다른 무게감으로 다가온다. 큰아이가 다른 친구를 때렸다고 학교에 오라고 했다. 학교에 들어서는 순간부터 나는 죄인이었다. 엄마의 문제로 아이가 저렇다는 암묵적인 비난은 나를 더 위축시켰고, 나의 내면은 억울함으로 차올랐다. 잘 지내는가 싶던 작은 아이는 친구들 간에 따돌림을 당하고 있었다. 억장이 무너져 내리는 것 같았다. 둘뿐인 아이들이 각자 극과 극의 모습으로 나를 힘들게 하고 있다. 게다가 이 모든 것은 내 탓이었다. 학교에서는 가정의 문제로 그런 것이고, 아이들을 좀더 챙겨주라는 남편의 타박도 결국 나를 탓하는 것이었다. 내 인생은 도대체 어디부터 꼬인 것일까? 우울한 기분을 안주 삼아 남은 맥주를 마저 들이켜고는 내일을 위해 오지도 않는 잠을 청한다.

아침이면 등교시킬 아이들을 생각하며 억지로 눈을 뜨고 일어난다. 늦어도 7시 20분에는 아이들을 깨워야 한다. 잠을 조금이라도 더 자게 해주려고 방문을 살짝 열었다가 기다리기도 한다. 아이들이 학교로 가고 나면, 집안 곳곳에 무심하게 널려 있는 컵이며 빨랫감들은 치우느라 바쁘게 왔다 갔다 분주하다. 나를 배려한다고 백화점에 조금이라도 더 가까운 곳으로 이사를 한 덕분에 여러 잔일이나 급하게 생기는 상황들은 오로지 나의 몫이다. 이렇게 살다 보니 정말 나를 배려해서 이사를 결정한 건지도 의심스럽다. 대략 정리가 된 듯해서 출근하려고 보니, 이런 30분 남았다. 조금이라도 막히면 바로 지각이다. 아직은 쌀쌀한 날씨이지만, 열감이 오른 느낌에 겉옷을 팔에 걸고는 서둘러 현관을 나선다. 엘리베이터 버튼을 누르고 기다린다. 에이 참. 항상 기다리는 시간은 느리게 흘러간다. 엘리베이터가 선다. 스르륵 문이 열리는데 아무도 없는 걸 확인하자 마음이 편해진다. 얼른 올라타고는 1층과 닫힘 버튼을 연속하여 누른다. 엘리베이터가 움직이기 시작하며 휴대폰을 열고 오늘의 미세먼지를 확인하려는데 갑자기 큰 소리와 함께 엘리베이터가 흔들린다.

"엄마야!"

놀이공원 기구처럼 빠르게 떨어지는 느낌이 난다. '쾅!'하는 굉음과 함께 몸이 튕기는 듯하더니 눈앞에 캄캄해지고 점점 정신이 아득해진다.

뭐지? 이 포근하고 행복한 느낌은? 물론 아침에 이불 속은 언제나 천국이다. 그런데 오늘은 유달리 깨어나는 순간이 새삼스럽다. 눈을 뜨니 평소보다 조금 더 밝은 천장이 눈에 띈다. 어? 천장이 왠지 멀게 느껴진다. 문자 그대로 멀다. 우리집 천장이 이렇게 높았나? 벌떡 일어나 주변을 둘러보니… 우리집이 아니다! 도대체 어제 여기는 어디지? 깜짝 놀라 침대를 박차고 일어나 주변을 살펴본다. 내가 왜 여기 있는지도 모르겠고. 나의 마지막 기억을 더듬어 본다. 출근 준비를 하다가 집을 나섰던 것 같은데… 방문을 열고 나가 복도를 따라 걸어가니 밝고 천장이 높은 거실이 나온다. 복층인가? 커다란 통창 너머로 짙푸른 한강에 반사되는 햇빛과 빠르게 달리는 차들로 활기찬 올림픽대로가 보인다. 어, 여기 더 펜트인가? 꼭 인터넷에서 보았던 고급빌라 더 펜트인 것 같다. 내가 왜 여기 있는 건지 도대체 모르겠지만, 일단 무슨 상황인지 파악해야 한다. 어디지? 혼잣말을 하면서 계속 주변을 살핀다. 계단을 올라가 방들을 기웃거려보는데 모델하우스처럼 세련되게 꾸며진 집안에는 아무도 없다. 아무 인기척도 없고, 여기서는 상황을 알아보기가 어려우니, 빨리 나가야겠다. 침실로 돌아가 휴대폰을 찾아본다. 화면을 켜고 시간을 확인하니 벌써 7시 30분이다, 어머나! 애들은 일어났나? 집에 전화를 해보려고 큰아이 이름을 꾹 누른다. 휴대폰 신호음이 멈추고.

"Hello, 엄마, 왜?"

"어, 민하야, 일어났어? 학교 가야지."

"뭔 소리야. 지금 여기 저녁인데" 퉁명스럽게 말한다.

"나 지금 친구들이랑 있어, 급한 거 아니면 나중에 통화해. 끊어"

전화가 끊어진다. 뭐? 나는 휴대폰을 내려다본다. 이번에 둘째에게 전화를 걸어보지만, 전화를 받지 않는다. 아마 세수하는 중이겠지? 불안하지만 스스로 위안하며, 물을 마셔야겠다고 생각하면서 나는 이미 자연스럽게 주방을 향해 가고 있다. 익숙하게 주방의 서랍을 열어 컵을 꺼내고 정수기 물을 받는다. 미지근한 물이 건조한 입술을 축이고 목을 타고 내려간다. 부드럽고 따뜻하다. 기분이 좋아진다. 왜 이렇게 익숙하지. 여기 온 적이 있었던가? 모르겠다. 챙기고 나가려고 왠지 모르게 익숙한 안방으로 가는데, 복도 벽에 내 사진이 걸려 있고, 화장대에는 민하와 민재 사진이 놓여있다. 내가 지금 여기서 지내고 있나? 왜, 언제부터? 도대체 생각나는 게 없다. 씻고 정신을 차리겠다는 생각으로 호텔처럼 근사한 욕실로 들어갔다. 오늘은 중요한 미팅이 있는 날이었지! 갑자기 오늘 일정이 떠오른다. 순간 어지럼증을 느껴 자리에 미끄러지듯 주저앉았다. 뭔가 붕 뜨는 느낌이 들기도 하고, 갑자기 여러 기억의 파편들이 어지럽게 떠오른다. 여기는 우리집이고, 아이들은 지금 미국에 있다. 뭐지 이 상황은? 남편에게 전화를 건다.

"여보, 지금 어디야 출근하고 있어?"

"어? 이른 아침에 무슨 일이야? 지금 출근 준비하고 있지"

"우리 애들이 언제 미국에 갔지?"

"갑자기 무슨 소리야."

앗! 순간적으로 새로운 기억이 떠오른다. 지금 나는 남편과 살고 있지 않다. 우린 5년 전에 이혼했고, 아이들을 유학을 보낸 지도 3년이 흘렀다. 순간 당황해서 말을 하지 못하고 있는데.

"연하야, 애들한테 무슨 일 있어? 지난주 연락했을 때까지는 아무 일 없었는데"

"아, 안 좋은 꿈을 꿔서, 미안. 잘 지내지? 아침에 바쁠 텐데, 얼른 준비하고 출근해."

"그래, 그럼 끊는다"

내가 맞는데, 내가 아니다! 아니, 내가 맞는데, 삶이 내 것이 아닌 건가? 오연하. 43세, 나름 알려진 아트디렉터이자, 아트컴퍼니 Le Show 대표이다. 와, 멋진데. 머릿속에서 아트디렉터 오연하의 삶이 파노라마처럼 돌아간다. 번쩍이는 플래시 세례, 유명인들과의 파티, 잡지사 인터뷰, 해외 극장 관계자와의 미팅… 이 집에 살고 있는 오연하라는 사람은 나와는 차원이 다른 삶을 사는 사람이었다. 아니, 내가 그 오연하였다. 뭐야. 지금 꿈을 꾸는 건가? 백화점 매장 부매니저에게도 전화해 봐야겠다는 생각이 든 그때 문자가 왔다.

'대표님, 좋은 아침입니다. 오늘 오전 미팅 일정 리마인더 연락드립니다. 오전 10시 해비치 극장 지하 1층 소회의실입니다. 회의 자료는 제가 준비해 가겠습니다. 그럼, 회의에서 뵙겠습니다.'

해비치 극장. 그래, 여름에 올릴 뮤지컬 사전 미팅이었다. 정신 차리자. 지금 상황이 정확히 뭔지 모르겠지만 움직여야 확인할 수 있다. 휴대폰을 열고 부매니저 번호를 찾는다. 연락처가 없다! 실수로 지웠나, 몇 번을 찾아봐도 박지영 부매니저는 목록에 없다. 지금 이 오연하는 K 백화점 매장에서 근무하는 매니저가 아니다. 유명 아트디렉터이자 한 회사의 대표이다. 이건 완전히 내가 어린 시절 꿈꾸던 삶이 아니었던가? 우리집 안방만 한 드레스 룸으로 가서 오늘 회의에 입고 갈 옷을 찾아본다. 걸려있는 옷가지들은 내게는 너무 화려한 듯 아닌 듯 헷갈리지만, 일단 마음에 드는 것을 대충 골라 입어본다. 너무 어색하지 않은 스타일로… 준비를 마치고는 엘리베이터를 타고 주차장으로 간다. 지하 몇 층인지를 생각하면서 이미 내 손은 B3 버튼을 누르고 있다. 엘리베이터에서 내려서 주차장의 여러 방향을 향해 스마트키를 눌러본다. 몇 번의 시도 후 삑삑 차가 신호를 보낸다. 오, 멋진데! 어린 시절에 나의 드림카라고 말하던 검은색 포르쉐 911 컨버터블이다. 속도를 즐기는 사람이 아니라고 생각하면서도 심장은 쿵쾅거린다. "부릉~!" 크게 포효하는 엔진소리가 왠지 나를 응원하는 소리처럼 느껴진다. 그래, 가보자. 한번 이 삶을 살아보자. 주차장을 벗어난 지 얼마 되지 않아 바로 한강 위를 달리는 기분이 상쾌하기만 하다. 20대 초반에 뮤지컬 공연을 보며 잠시 꿈꾸었던 아트디렉터가 된 내 모습이라니. 이 삶에서 미대에 다녔던 일, 유학을 준비하며 봉사를 나갔다가 남편을 만나게 된 일. 함께 유학 생활을 했던 일. 이곳 삶의 조각들은 중간중간 영화 속 장면처럼 떠오른다. 하긴, 진짜 내 인생에서도 동아리 공연 무대를 꾸미면서 신나게 밤을 새우던 기억이 있다. 이 두 명의 오연하는 재능이나 흥미도 비슷한가? 모자이크처럼 같은 조각과 다른 조각들이 뒤섞여 있는데, 어쩌면 순간 순간 작은 선택의 조각들이 모여 있는 것 같다는 생각이 들었다.

한강을 건너는 중 전화가 온다. 화면에 뜬 이름은 엄마였다. 어디니? 아침은 먹었니? 미국 애들은 잘 있고? 질문이 이어진다. 엉겁결에 지금은 운전 중이고, 아침은 간단히 먹었다고, 애들도 잘 지낸다고 대충 둘러댄다. 오늘 중요한 회의 있는 날이라고 해서 전화를 하셨다며 응원해 주신다. 나는 다 잘 준비했으니 걱정하지 마시라며 울컥 올라오는 뜨거움을 목구멍으로 삼키어냈다.

"그래, 엄마 아빠는 우리 연하 늘 응원한다. 알지? 오늘도 멋지게 잘하고! 그럼, 저녁에 전화줘."

그렇다. 이 세상은 부모님이 모두 살아 계시다. 그것도 건강하고 행복한 모습으로. 이 역시 원래 내 삶과 너무나 큰 차이였다. 전화를 끊으면서 그날이 떠올랐다. 2000년 4월 어느 날이었다. 홍대 앞 카페에서 친구들과 수다를 떨고 있다가 울리는 전화. 엄마 번호다.

"김영숙 님 따님이신가요? 저… 부모님께 사고가…"

순간 아무 소리도 들리지 않았다. 친구들의 신나는 수다도, 카페를 가득 채운 음악 소리도 진공상태처럼 모든 것이 멈춘 듯했다. 무슨 전화냐고 날 흔드는 지영이의 목소리에 정신이 돌아왔다. 손이 떨리며 입이 떨어지지 않았다. 그랬다. 그날 나는 예기치 못한 교통사고로 두 부모님을 잃었다. 취직했을 때도, 결혼할 때도 난 늘 혼자서 새로운 것들을 감당해야 했다. 그런데, 여기는 부모님이 계신다. 그것도 멋지고 든든한 모습으로. 눈물이 날 것 같다. 행복하다는 건 이런 때 해야 하는 말이 아닐까?

안녕하세요? 밝게 인사를 하며 지하 1층 회의실에 들어선다. 오전에 리마인더 연락을 준 한 팀장은 이미 자리에 앉아 있다. 회의 장소는 지하이지만 문 맞은편 통창의 풍경은 무성한 초록과 높은 빌딩의 도심이 아름답다. 극장이 자리 잡은 지형 덕분에 실내에서는 빛과 도시 전망이 가득하다.

"오 대표님, 인사하세요. 서로 아시죠? 이쪽은 이번 공연 연출을 맡은 이영진 감독입니다"

"네, 알죠. 이 감독님 안녕하세요. 오랜만에 뵙는 듯해요."

웃으며 인사를 건넸다. 이 감독은 내 얼굴이 더 좋아진 것 같다고 너스레를 떨며 인사를 건넨다. 세 여자가 웃으며 인사를 나누지만 보이지 않는 팽팽한 긴장감이 회의실을 채운다. 잠시 간략한 근황 이야기를 나누다가 내가 분위기를 정리한다.

"이제, 저희가 준비한 기획안을 발표할까요?"

심장이 크게 뛰었지만, 당당한 표정으로 기획안 발표를 마쳤다. 발표 자료도 멋지게 준비되었고, 다행히 목소리는 떨리지 않았다. 괜찮았어. 이 정도면 생각보다 잘 해낸 것 같다. 사람들 반응도 나쁘지 않아 보이고. 간략한 피드백 의견을 교환하고, 내부 회의 이후 최종 진행 여부를 전달하겠다는 이야기를 끝으로 회의를 마쳤다.

"대표님, 오늘도 발표 훌륭하셨습니다. 기획안에 대해 극장 측도 맘에 들어 하는 눈치였어요. 그런데…"

갑자기 한 팀장 목소리가 작아지며 말을 줄인다.

"그런데 뭐?" 한 팀장을 보며 물었다. 뭐지, 실수한 건 없는 것 같은데?

"그런데, 오늘 오후에 M 기획에서도 회의를 잡았다고 해서요. 혹시 대표님도 알고 계셨어요?"

"M 기획? 거기는 광고 아닌가?"

"네, 그렇죠. 그런데 사업영역을 확장한다고 해요. 해외에서 활동하던 디렉터를 새로 영입하면서 공연 쪽 일도 시작한다고 들었습니다."

갑자기 뒤통수를 한 대 맞은 기분이다. 그래 최종 진행 여부 어쩌고는 형식이 아니었구나. 어쩐지 이 감독은 뭔가 말을 아끼는 분위기였는데. 다른 옵션이 있었던 거였다.

"디렉터 누구? 해외 어디 출신인데? 이 감독이 아는 사람인가?" 질문이 많아진다.

"뉴욕이요. 이 감독님 동문이라는 것 같아요."

이런, 슬픈 예감은 종종 현실이 되곤 하는데… 왠지 불안하다. 나도 이 감독하고는 특별한 연이 있다. 물론, 이 세상의 오연한 말이다. 이영진 감독을 처음 알게 된 건 3년쯤 전이다. 그 즈음 남편이 재혼했으니까. 그렇다. 이영진은 내 전남편의 현재 부인이다. 그래서 발표하는 내 심장도 그렇게 뛰었던 것인지도 모르겠다. 이번에는 뭔가 방법을 찾아봐야 할 것 같다. 방해 요소가 가중된 것 같으니 말이다.

"한 팀장, M 기획에 아는 사람 있다고 하지 않았어요?"

"네, 동기 중 한 명이 거기 있습니다."

"좋아, 그럼, 이번 건 관련해서 도움될만한 내용이 있는지 알아보고 보고해 줘요. 그럼 나는 해비치 극장 최 팀장 좀 만나고 갈게요. 그럼, 저녁에 통화해요."

한 팀장과 헤어져서 바로 휴대폰을 열고 해비치 극장 최 팀장에게 전화를 건다. 뭐지? 이 행동력은? 원래 나라면 이런 경우, 마음을 접고는 했다. 정보를 캐널 만한 사람들도 없었을 뿐 아니라, 이런 구조적인 불리함에 대응할 자신이 없었기 때문이다. 양보, 배려라는 미명하에 두려움을 숨기고 도망치곤 했었다. 그런데. 여기서는 방법을 찾겠다고 일초의 고민도 없이 바로 행동에 돌입하고 있다. 이런 내 모습이 어색하다. 한강 변의 야경이 환하게 빛나는 즈음 나는 집으로 돌아왔다. 옷을 갈아입고 거실로 나오는데 한 팀장에게 전화가 왔다.

"대표님, 동기와 통화를 했는데, 현재 M 기획도 이번 공연 건에 사활을 걸었다는데요? 공연계에서 첫 사업이라 국립극장 공연을 놓치지 않으려고 대표님까지 로비한다는 말도 있고요. 그리고, 이번에 영입한 디렉터가 이 감독하고 그냥 동문이 아니고, 같은 시기에 미국에 있으면서 개인적 친분이 꽤 두터운 사이라고 합니다. 그래서 이번 회의도 이 감독님이 극장에 요청해서 특별하게 기회를 얻었다는 것 같아요."

"현재 우리에게 유리한 점이 많지는 않아 보이네요. 그래도, 우리가 이 분야에서는 탁월한 성과를 쌓아왔다는 걸 잊지 맙시다. 조금 더 공격적으로 나가보죠. M 기획 새로 온 디렉터 이력도 받아볼 수 있을까? 혹시, 국내 이력이나 네트워크가 어떤 지도 궁금하고."

"네, 바로 알아보고 자료 보내 드리겠습니다."

전화를 끊고는 생각에 잠긴다. 어떻게 해야 할까? 잠시 고민하던 나는 이영진 감독에게 전화를 걸었다.

"네, 오 대표님? 무슨 일이세요? 오전에도 뵈었는데, 또 전화를 주시고."

나는 늦은 시간에 전화해서 미안하다고, 이번 공연과 관련해서 회의에서 이야기하지 못했던 아이디어를 만나서 이야기하고 싶다고, 분명 공연에 도움이 될 거라고 쾌활하게 말했다. 그러고는 쇠뿔도 단김에 뺀다고, 이번 주중에 시간이 가능한지 물었다.

"아, 좋죠. 그런데, 아직 계약이 확정된 건 아닌데 저희가 만나서 얘기하는 게 맞을지 모르겠어요."

이 감독은 짐짓 뒤로 빼는 모양새다. 나는 이 감독에게는 보이지도 않을 미소를 만면에 띠우면서 작품에 대해 관점을 공유하고 발전적인 이야기를 나누자고 이번 건이 아니더라도 나쁠 건 없을 거라고, 또한 팀장이 최신 핫플레이스를 소개해 주었는데 이 감독과 같이 가고 싶다고 이야기를 이어갔다.

"이렇게까지 말씀해 주시면 제가 더 거절이 하긴 어렵죠. 제 일정 확인하고 문자 드릴게요."

감독님과 즐거운 시간을 기대한다며 전화를 끊고는 바로 한 팀장에게 전화를 걸어 요즘 핫플레이스 중 한 곳의 예약을 지시했다. 그렇다. 애초에 소개받은 핫플레이스 따위는 없었다. 원래 세상의 나였다면 이런 경우, 본능적으로 가능한 내가 상처를 덜 받으면서 조용히 마무리할 방법을 찾았을 것이다. 생각해 보면 상처를 덜 받는 선택이라고 합리화했지만, 언제나 양보하고 회피한 것 자체가 상처로 남았다. 사실이 그랬다. 소위 정신 승리를 하겠다고 최선의 노력을 다한 것일 뿐이었다. 그런데, 이 세상의 오연하는 좀 다르다. 확실히 씩씩하고 당찬 사람인 것 같다. 주어진 삶이 달라서 그런 건지, 이 오연하의 성격인 건지 나도 뭔가 조금 더 겁이 없어지는 느낌이다.

어제는 분위기에 취해 몇 잔을 마신 와인 덕분인가? 머리가 지끈거리는 아침이다. 오늘 일정을 확인하며 주방으로 향한다. 물을 한 잔 마시며 TV를 켰다. Le Show의 뮤지컬 쇼케이스가 문화 단신에 홍보되고 있다. 볼륨을 높이며 TV 앞으로 가까이 다가간다. 작년에 우리 회사에서 진행했던 공연 원더랜드가 얼마 전에 해외 어워드를 수상했는데, 관련하여 인터뷰하고 싶다고 여러 매체와 잡지사에서 연락을 받았다. 오늘부터 3일간 작년에 회사에서 디렉팅했던 공연의 감독님들과 주·조연 배우를 초대하고, 뮤지컬 관람객 중 추첨을 통해 게스트로 초청하여 Le Show 뮤지컬 쇼케이스를 진행한다. 홍보도 겸해서 쇼케이스장에서 인터뷰를 진행할 예정이다. 오늘은 헤어와 메이크업을 받아야 하니, 편안한 복장으로 집을 나선다.

'주차장에 도착했습니다.'

함께 이동하기로 한 송대리의 문자다. 바로 송 대리에게 바로 전화를 건다. 지금 내려간다고 말하고 전화를 끊으며 엘리베이터를 탄다. 청담동 메이크업숍으로 간다. 거울 속에서 메이크업을 받으며 변해가는 내 모습을 구경하다 보면 2시간에 가까운 시간이 빠르게 느껴진다. 메이크업을 모두 마치고, 송대리가 준비해 온 옷으로 갈아입었다. 가끔 특별한 행사가 있을 때는 오늘처럼 협찬을 받기도 한다. 차를 타고, 인터뷰 질문들을 검토하면서 쇼케이스 장소로 이동한다. 이미 많은 사람이 북적대고 있는 쇼케이스 장소에 도착했다. 포토월 앞에서 포즈를 취하는 배우들과 사진을 찍는 기자와 사람들로 소란스럽다. 나도 차에서 내려 포토월로 간다. 행사를 주최하는 회사 대표이다 보니 나름대로 멋진 포즈를 취해본다. 행사장 내에 마련된 음료를 한 잔 들고 사람들과 인사를 나눈다. 윤 감독님! 활기찬 목소리로 인사를 건네며 다가간다.

"어, 오 대표, 잘 지냈죠? 행사 준비하느라 고생했겠어. 우리도 이런 자리에 초대받으면 기분이 좋지. 초대해 줘서 고마워."

다음 작품 준비로 시작한 대화를 이어가던 중 입구 쪽에서 키가 큰

한 사람이 밝은 표정으로 다가온다. 이번에 무대 디자인상을 받은 공연, 원더랜드의 남자 주연배우 고진우다. 아이돌 시절에는 소소하게 구설수도 많았지만 30대가 되면서 성숙한 멋으로 제2의 전성기를 누리고 있는 그이다. 오늘따라 더 아름다워 보인다며 한껏 띄워주는 그에게 나도 웃으며 참석해 주어 고맙다고 인사를 건네고 잠시 즐거운 대화를 이어간다.

"대표님, 인터뷰 가실 시간입니다."

쇼케이스장의 한 부스에서 인터뷰를 진행하면서 호탕한 웃음과 함께 작업하면서 즐거웠던 에피소드, 창의적 과정이 주는 고통과 희열… 많은 이야기를 나누었다. 즐거웠던 것도 사실이지만, 이런 인터뷰에서는 항시 긴장을 잃지 않는 것도 필수적이다. 통창으로 노출된 장소에서 인터뷰를 진행하다 보니, 많은 사람이 사진을 촬영하고 응원을 보내주기도 한다. 플래시와 환호가 가득한 그 순간에는 마치 내가 세상의 중심이 된 것 같다. 유독 시선이 느껴져서 고개를 돌렸다. 한 팀장? 오늘은 다른 회의가 있는데? 다시 보니 아무도 없다. 한 팀장이 아니었나? 이상한 기분이 잠시 들었지만, 다시 집중해서 다음 인터뷰를 시작했다. 연속되는 짧은 인터뷰를 모두 마치고 가벼워진 마음에 콧노래를 흥얼거리며 화장실로 갔다. 음료를 너무 많이 마셨지. 옷매무새를 추스르며 문을 열고 나오려는 찰나 이야기 소리가 들린다.

"오연하? 그 여자 정말 재수 없지 않냐? 자기가 무슨 연예인이야?"

한 여자가 기분 나쁘다는 투로 누군가에게 말한다.

"그러게, 예술 쪽 일한다 이거지 뭐, 너무 척을 하는 건 보기가 좀
그렇더라."

다른 목소리가 상대에게 맞장구치며 자신도 탐탁지 않다고 말한다.
내가 뭘 어쨌다는 건지는 모르겠지만, 일단 내가 재수 없다고 생각한
다는 것은 알겠다. 어떻게 하지? 나가야 하나? 저 둘이 나갈 때까지
여기 있어야 하나? 짧은 찰나에 생각들이 엉켰지만 이미 내 손은 문
을 열고 있었다.

"안녕하세요."

나도 모르겠다. 왜 인사를 했는지는. 그렇지만 이들은 나를 알지 않
는가? 일단 인사를 하고 보자.

"어머나! 아… 안녕하세요. 저…"

목소리를 들으니 먼저 이야기를 시작했던 여성인 듯하다. 나를 보
고는 깜짝 놀라 얼굴이 붉어진다. 뭐, 기분이 좋지는 않지만 나도 딱

히 무슨 말을 해야 할지 아는 상황은 아니었다.

"제가 연예인처럼 행동했나요? 연예인처럼 행동하는 게 뭔지는 모르겠지만, 구체적으로 말씀해 주실 수 있을까요?"

"아, 오연하씨 죄송합니다. 저희가 말실수를 한 것 같습니다."

다른 여성이 얼렁뚱땅 둘러대며 친구를 붙잡고 얼른 자리를 피하려 한다.

"왜 이래. 뭐 내가 잘못한 것도 없는데. 그냥 너무 잘난 척을 하시는 것 같아서 보기가 좋지 않다고 말한 거예요."

처음 말했던 그녀는 친구의 팔을 뿌리치며 당당하다는 듯 말했다.

"아, 잘난 척… 안타깝지만 무슨 의미인지 저는 여전히 모르겠네요. 구체적인 말씀이 아닌 걸 보면, 제가 뭘 했다기보다는 그냥 그쪽의 생각인 것 같네요. 그럼, 재미있는 시간 보내세요."

가슴이 쿵쾅거리는 것을 그 여자들이 눈치챘을까 생각하면서도 어깨를 더 펴고는 빠르게 그곳을 벗어났다. 이런 걸 요즘 아이들이 후달린다고 표현하는 건가? 모든 사람이 나를 좋아할 수도 없지만, 바로 앞에서 욕을 먹는 건 정말 경험하고 싶지 않은 일이다.

K 백화점 8층 가정관 화장실에서, 백화점으로 출근한 지 2년이 채 안 된 즈음에 있었던 일이다.

"야, 오연하 걔, 너무 열심히 하는 거 아니냐? 구관이 명관이라고 먼저 있던 매니저가 눈치도 있고 난 좋았는데. 휴게실에서는 존재감 도 없이 구석에서 책만 보면서, 매장에서는 고객들만 오면 혼자 엄청 나게 잘나셨잖아. 하하하"

그때도 화장실 칸 안에서 옷을 추스르고 나오려던 찰나였는데, 그 들이 나갈 때까지 나는 문을 열지 못했다. 열심히 고객 응대를 하는 게 욕먹을 이유가 되어야 하는 건지 모르겠지만 일단 그들이 나를 싫 어한다는 건 분명하게 알 수 있었다. 그렇다. 내가 살던 세상에서도 같은 경험이 있었다. 세상은 나를 미워했다. 그런데… 이곳의 오연하 는 크게 신경을 쓰지 않는 것 같았다.

한 팀장이 예약한 곳은 청남동 Min's라고 컨템포러리 한식당이고 미쉐린가이드에 최근 2년 연속 올라오고 있는 곳이라고 한다. 저녁 식사는 좀 그렇고, 점심에 보기로 했다. 먼저 요청을 하기도 한 만큼, 나는 조금 일찍 도착했다. 입구부터 소박한 듯 보이지만, 실제로는 고가의 마감재들로 꽤 힘을 준 인테리어가 눈에 띈다. 모던한 젠스타일이 맘에 든다. 룸으로 들어가서 기다리는 동안 테이블 위에 세팅된 리플렛에서 브랜드 스토리를 읽다 보니 이 감독이 들어왔다. 나는 짐짓 반가운 듯 일어서며 자리를 권했다. 예약 인원이 모두 도착하자 식당 직원이 들어온다. 런치 서빙 순서를 설명한 다음 반짝반짝 정갈하게 손질해 담은 각종 채소와 과일들, 윤기가 흐르는 쌀과 개봉하지 않은 캐비어, 송로버섯을 보여준다. 일종의 식재료 퍼포먼스인가? 뒤이어 고급스러운 작은 접시와 그릇에 에피타이저가 담겨 나온다. 송로버섯 슬라이스가 꽃처럼 너울져 있는 타락죽과 예쁘게 모양을 낸 밤 인절미 1알. 얄미울 정도로 정갈하게 준비된 음식이었다.

"드시죠."

이 감독에게 먼저 권하는 손짓을 하고는 나도 숟가락을 들었다. 우리는 조용히 식사를 시작했다. 뒤이어 제철회와 감태롤이 각각 1점씩 나왔다. 내가 살던 세상에서 남편과 TV를 보면서 연예인들이 이런 식당에 가는 것을 보고 나도 한번 가보고 싶다고 한 적이 있다. 남편은 말 한마디로 천 냥 빚을 갚기는커녕 오히려 빚을 지는 스타일이었는데, 퉁명스러운 목소리로 음식가지고, 장난하면서 쓸데없이 비싸기만 한 곳에 뭐 하러 가냐고 해 더 말을 이어가기 어려운 분위기로 대화가 끝났다. 음, 이런 느낌이구나. 이런 식당은 맛도 맛이지만, 일단 눈과 마음이 즐거워지는 것 같다. 그런데, 감질맛이 난다고 해야 할까? 맛있어서 더 먹고 싶어서 보면 접시에는 음식이 없다. 하지만 그렇게 작은 분량만 나오기 때문에 다양한 음식을 즐길 수 있는 게 아닐까? 음식이 입맛에 맞는지 물어보며 이 감독을 본다.

"네, 좋네요. 나중에 지완 씨랑 와야겠어요. 완전 한식파예요. 아, 아시겠구나"

이 감독이 말을 마치며 웃는다. 뭐야. 굳이 이 자리에서 전남편 이름을 올릴 필요가 있나? 하는 생각이 들었지만, 맞다는 듯 같이 미소 짓고 만다. 이번에도 직원이 큰 쟁반 같은 것을 들고 오더니, 다음 요리들 재료를 보여준다. 아, 한 번은 신선했지만, 두 번은 사양하고 싶기도 했다. 한약재며, 고급 재료들이 들어간다는 것을 과시하는 것 같기도 했다. 그래, 그렇구나. 돈을 쓰는 사람들은 이렇게 하나하나 보고 누리는 거구나. 귀한 한약재와 모양이 특이한 재료가 들어있는 따뜻한 국물 요리와 제주산이라는 생선구이 1조각. 난 개인적으로 맑은 따뜻한 국물이 더 좋았다. 세 번째 다시 들어온 직원은 이번에는 대게와 개봉하지 않은 캐비어, 홍합, 토마토와 허브, 찹쌀 등이 담긴 접시를 보여주었다. 나도 이제는 자연스럽게 고개를 살짝 끄덕여 잘 봤다는 인사를 건넨다. 그런데 저 재료들은 도대체 무슨 요리가 되는 거지? 이런 궁금증은 바로 풀린다. 찹쌀 리소토와 대게 요리가 나왔다. 크고 넓은 하얀 접시에 한 가운데 탁구공만큼 음식이 담겨있고 그 위에는 귀하다는 캐비어가 올려져 있다. 그 이후로도 닭고기 요리, 돼지

고기, 소고기 스테이크까지 연이어 나왔다. 이제 정말 배가 불러온다. 이런 음식이 실제로 배가 부르구나. 우리는 다채로운 음식이 나오는 동안 중간중간 공연계 지인들 소식과 안부를 나누며 식사를 즐겼다. 이제 슬슬 후식이 나올 타이밍이다. 차와 커피 중 선택을 하라고 한다. 아이스크림을 주는데 앙증맞은 간장 스포이트를 함께 준다. 단맛과 짠맛을 함께 즐길 수 있는 재미있는 후식이다. 여기서 끝이 아니라 차와 함께 나온 다과 역시 거한 느낌이었는데, 마카롱과 강정, 약과와 정과들이 담겨있는 구절판 비슷한 용기를 보여주고는 인원수대로 5가지 다과를 접시 위에 담아낸다. 다른 한과 종류는 알겠는데, 마카롱은 좀 안 어울린다는 생각도 들었다. 미쉘린 식당이라는 데 감히 내가 그런 평을 해도 될지 모르겠지만 말이다. 아무튼, 식사를 마칠 즈음이 되자, 이 감독은 나를 건너다보며 오늘 하고 싶었던 말을 하라는 눈빛을 보낸다.

"이 감독님, 그제 해비치 극장 미팅말예요. 오후에 미팅이 하나 더 있었다면서요?"

"아, 어떻게 아셨어요? 역시 오 대표님은 소식이 빠르시네요."

이 감독이 멋쩍은 듯 웃는다.

"사실, 이번 공연은 처음 기획 단계부터 해비치와 저희 Le Show가

같이 준비해 왔어요. 아마도 아시겠지만요."

내가 운을 떼자, 이 감독은 잠시 침묵한다. 나는 이 감독의 얼굴을 정면으로 바라보았다. 잠시 후 나는 다시 말을 이어갔다.

"서로 돕고 친분을 챙기는 건 의미 있는 일이라고 생각해요. 그렇더라도 일에 있어서는 공사 구분이 필요하다고 생각하고요. 이 감독님 생각은 어떠세요?"

"네, 말씀을 들어보니, 아마도 전후 상황에 대해 어느 정도 파악하고 자리를 만드신 것 같네요. 질문에 답을 드리자면, 저도 오 대표님과 같은 생각입니다. M 기획 미팅 같은 경우는, 그렇게 생각하실 만해요. 하 감독은 제가 잘 아는 후배이고, M 기획 대표님의 간곡한 부탁도 있었고요. 그렇지만, 제가 친분으로 도움을 드린 건 거기까지가 다예요. 미팅까지만 이라고 해비치에도 M 기획에도 말씀드렸고요."

"그럼, 이 감독님 말씀은 이번 공연을 주겠다고 약조한 것은 아니니 문제가 될 것 없다는 말씀처럼 들리기도 하는데요? 혹시 그런 의미로 하신 말씀이세요?"

"아니요. 오 대표님이니까 제가 개인적 친분과 부탁으로 미팅 기회를 주었다는 것을 솔직히 말씀드린 거예요. 저도 잘한 거로 생각하지는 않고요."

이 감독은 고개를 살짝 숙여 잠시 테이블 위를 응시했다.

"다만, Le Show와 M 기획의 기획안과 역량을 기반으로 의사결정을 진행했다는 점은 분명하게 말씀드릴 수 있어요."

뭐지. 나니까 솔직히 자기 잘못을 인정한 거라는 말인가? 왜?

"그럼, 저도 이 감독님 말씀을 믿을게요. 미팅 기회만 주셨고, 의사결정은 온전히 실력을 기준으로 하셨다는 말씀도요."

아마도 오늘이나 늦어도 내일까지는 연락이 오지 않을까 싶은데, 결과가 궁금했지만, 이 관계가 여러 가지로 얽힌 이해관계이다 보니, 더 이상 캐물을 수는 없었다. 어색한 침묵이 돌려고 하는 찰나 이 감독의 휴대폰이 울린다.

"어, 여보. 나 지금 식사 중. 조금 있다가 내가 다시 전화할게."

이 감독은 재빠르게 휴대폰을 끊으며 죄송하다고 한다. 뭐가 죄송하다는 거지? 대화 중에 전화가 와서? 아니면 내 전남편인 자기 남편에게 전화가 와서? 나 지금 무슨 생각하는 거야. 그만하자. 생각을 멈추자! 애써 정신을 가다듬는다.

"감독님, 식사 괜찮으셨어요? 제가 모셨는데. 마음에 드셨으면 좋겠네요."

"네, 식당 분위기도 컨셉도 좋고, 음식도 맛있었어요. 이렇게 프라이빗한 공간도 있으니, 나중에 가족들하고도 한 번 와볼까 봐요."

이 정도면 훈훈한 마무리라고 할 수 있겠지. 나는 한 팀장이 오기로 했다며 먼저 가시라고 한 뒤, 천천히 겉옷과 가방을 챙긴다. 한 사람만 사용하게 되어 있는 샌달우드 향이 은은하게 기분이 좋은 화이트 톤의 화장실로 들어가서 손을 씻고, 매무새를 고치면서 생각에 빠진다. 우리가 왜 헤어진 걸까.

원래 세상의 남편은 재미있고 긍정적인 사람이었다. 위축되어 소심하게 변해왔던 나는 남편의 그런 점이 편하고 좋았다. 그러나 이 세상에서의 남편은 조금은 더 이기적이고, 모든 것을 자기중심적으로 결정하고는 했다. 이 세상의 오연하 역시 자신을 가장 중요하게 생각했기에 이 부부는 자주 부딪혔고, 서로에 대한 원망이 커졌다. 이 감독 부부는 지금 행복할까? 행복이 도대체 뭔데? 이렇게 감상에 빠지는 건 지금 내가 이곳의 오연하가 되었기 때문일까? 아니면 이곳의 오연하도 가끔은 나처럼 감상에 빠져 허우적대는 것일까? 우울한 감상으로 빠져들어 가는 내 정신을 잡아채기라도 하듯 한 팀장에게서 전화가 온다.

"대표님! 이번 해비치 공연 건 저희와 계약하자고 연락받았습니다!"

정말 기쁜 소식이라고, 수고 많았다고 격려하고는 전화를 끊었다.

뭐라고? Le Show를 선택했다고? 정말이었네. 이 감독 저 여자. 정말 쿨한 사람이네. 왜 코끝이 찡해오는 거지. 미워하고 싶은데. 왜 좋은 사람인 거냐고… 아니다. 다행이야. 좋은 사람이라서. 다행은 무슨 내 남편도 아닌데. 꼬리에 꼬리를 무는 생각들은 멈출 기미가 없다.

"앞으로 자주 보겠네. 이 감독…"

집으로 돌아와 샤워를 마치고 피곤하지만, 개운한 기분으로 욕실에서 나왔다. 부드럽고 편한 옷을 입고, 거실 소파에 앉아 잠시 멍하니 앉아있는다. 잠자리에 들기 전에 따뜻한 차를 한 잔 마시려는데 갑자기 눈앞에 검은 정장을 입은 한 팀장이 나타났다.

"한 팀장? 어떻게 들어왔어요?"

깜짝 놀란 나는 물었다.

"이 세상의 오연하로 살아본 소감이 어때요? 마음에 드나요?"

한 팀장은 내 질문에는 답하지 않고 자기 말만 한다.

"뭐라고요? 한 팀장 무슨 소리예요?"

나는 다시 묻는다.

"놀라실 것 없습니다. 당신이 이 세상의 오연하가 아니라는 것은 다른 사람들은 모르니까요. 저는 당신을 특별하게 생각하는 누군가의 메신저 정도로 생각해 주시면 될듯합니다. 시간이 다 되었다는 메시지를 전달하러 왔습니다."

"시간이요? 저를 특별하게 생각하는 누군가는 또 누구죠? 이런 일을 가능하게 할 수 있는 사람이 있다는 말인가요?"

"저를 보낸 분의 존재에 대해서는 저도 답변을 드리기 어렵습니다. 다만, 이제 당신이 두 세상에서의 삶 중 하나를 선택해야 하는 시간입니다. 이 선택은 불가역적이며, 그 선택으로 인해 두 세계에 일어나게 될 변화에 대한 책임도 함께 주어진다는 점도 말씀드립니다."

"두 세상의 오연하들 중 제가 선택하는 오연하로 남은 인생을 살아가게 된다는 말씀인가요? 그걸 제가 선택해야 하는 것이고요."

"맞습니다. 그것은 전적으로 오연하씨의 선택이며, 이어질 삶 역시 그렇습니다. 고민할 시간은 충분했을 것으로 생각하는데요."

"지금 당장 선택해야 한다고요?"

아, 머릿속이 하얘진다. 새로운 세상의 오연하는 내가 봐도 마음에 드는 꽤 매력적이고 멋진 사람이다. 그런데, 나는 이 오연하가 아니다. 나는 누구인가? 이 세상의 오연하에게 들어온 나인가? 그렇다면 이 세상의 오연하는 지금 어디에 있을까? 원래 세상의 나는 어떻게 되었을까? 우리 아이들이 엄마가 없이 지내고 있는 건 아닐까? 아니면 이 세상의 멋진 오연하가 내 세상으로 가서 우리 아이들에게도 멋진 엄마가 되어준 것일까? 아… 모르겠다. 한 가지만 생각하자. 지금 나는 이 세상에서의 삶을 원하는가? 이 세상과 내 세상 중 과연 더 좋은 삶이 있는 것일까? 이 세상에서의 내 모습은 이곳 오연하의 모습인 건가? 하지만, 내가 생각하고 느끼고 행동했는데, 그게 나의 모습 아닌가? 어떻게 확인할 수 있을까? 아니, 확인이 가능하기는 할까? 오연하, 너 지금 이곳의 삶에 만족해? 행복하다고 생각해? 스스로에게 질문한다. 이 답을 찾아야 할 것 같다. 그것도 지금. 이 답이 나의 선택을 도울 것이다.

"결정하셨나요?"

"제 선택은…"

*

"오늘의 명사 초대석, 월드 문학상 수상자 오연하 작가님이십니다!"

객석에서는 와~ 하는 소리와 함께 우레와 같은 박수 소리가 들린다. 나는 여유 있고 꼿꼿한 걸음으로 무대 위로 올라가 의자에 앉았다.

"안녕하세요. 초대해 주셔서 감사합니다."

"오늘 나와 주셔서 감사합니다. 현재 해외에서 지내고 계신 것으로 알고 있는데요. 먼 걸음 해주셨습니다."

"네, 지난 몇 년간 아이들과 가까이 있고 싶어서 해외에서 지냈어요. 지금은 저희 큰아들이 있는 뉴욕에서 지내고 있고요. 올가을에 한국으로 돌아올 예정입니다."

"그러시군요. 등단하신 지 오랜 시간이 지났는데요. 처녀작이 기억나시는지요?"

"당연히 기억납니다. 물론 처녀작으로 등단을 한 것은 아니고요. 잊을 수가 없죠. 2024년이었어요. 제가 꽤 늦은 나이에 글을 쓰기 시작했지만, 그래도 저에게는 그때가 가장 빠른 시작이었죠. 시간이 참 빠르네요. 벌써 20년이 지났으니까요."

"그렇습니다. 중년의 나이에 작가로 등단하신 이후 꾸준한 작품활동을 해오셨고, A & C 문화재단을 설립하면서 예술 문화계에도 크게 기여해오셨는데요. 작년에 월드 문학상을 수상하시면서 다시 한번 세계적인 주목을 받으셨죠. 그럼, 작가님의 작품세계와 삶에 대해 말씀 나누기 전에 오연하 작가님의 삶을 준비한 영상으로 함께 보시죠."

밝은 무대조명과 카메라 클로즈업은 나의 주름진 얼굴을 세밀하게 드러내 준다. 앞에 보이는 모니터 속의 내 모습이 마음에 들었다. 지나온 나의 삶이 그 속에 아름답게 빛나고 있는 듯했다. 나는 나의 삶에 만족하고 있었다.

2024년 다른 평행 세계에서 돌아오던 그날, 나는 눈 부신 햇살에 눈을 떴다. 몸을 움직이기가 힘들었다. 눈을 뜬 나를 보고 남편이 벌 떡 일어난다.

"연하야! 이제 정신이 들어?"

우리 집은 오래된 아파트여서 내달에 엘리베이터 교체 공사가 예정 되어 있었다. 그런데, 공사를 얼마 안 남긴 시점에 엘리베이터 줄이 끊어지면서 추락하는 사고가 났었다고 했다. 더 큰 사고가 될 뻔했는 데, 다행히도 엘리베이터가 1층 바닥까지 추락하지 않고 중간에 걸리 면서 멈춰 섰고, 충격은 여전히 컸지만 그나마 부상이 더 심하지 않았 다고 정말 다행이라고 반복해서 말했다. 그래도 사흘 만에 눈을 떴다 며, 잔뜩 걱정하는 눈으로 내려다보고 있다. 그렇게 무관심하던 그 사 람이 맞나 싶었다. 그래 20년 전이었나? 저 눈빛이 내 마음을 열어주 었다. 그때는 나를 웃게 해주는 사람이었다고 생각하고 있는데. 남편 이 웃는 걸 보니 이젠 다 나은 것 같다고 농담한다. 나의 희미한 미소 를 놓치지 않았나 보다. 맞네. 이제는 남편이 나를 보고 있다. 순간 정 신이 든 나는 백화점에는 연락했냐고 물었다. 남편은 염려하지 말라 며, 부매니저도 왔다 갔고, 사장님도 꽃을 보내주셨다며 내가 좋아하 는 황도 통조림과 화려한 꽃바구니를 가리킨다. 오후에는 민하와 민 재도 왔다. 엄마가 죽는 줄 알았다고, 그동안 자기가 잘못했다면서 큰 아들 민하가 펑펑 울었다. 나도 민하와 민재의 손을 부여잡고 울었다. 내가 울었던 건 아마도 민하와 같은 이유는 아니었을 것이다. 내 삶에 대한 나의 원망과 오해, 쌓여가는 나쁜 해석들이 나와 내 주변 사람들까지 힘들게 했다고 생각했다. 몸은 아팠지만, 정신은 또렷했다. 아니 그 어느 때보다 명쾌했다. 지금의 나는 분명히 나였다. 그렇지만 내 마음속에서는 다른 오연하도 함께였다. 병원에 누워 있는 동안 생각했다. 그 세상의 오연하도 내가 아니었던가? 자기 삶에 적극적으로 돌진하던 그녀도 사실은 나였다. 퇴원해서 집에 오는 길에 남편에게 말했다. 글을 써보고 싶다고. 남편은 좋은 생각이라고 했다. 내가 잘 할 것 같다고도 해주었다. 남편이 변한 건가? 아니다. 이번에는 내가 제대로 들은 것뿐이다. 사실 남편은 늘 나를 응원해 주는 사람이었다. 나는 그 말을 곧이곧대로 듣지 않고 내 머릿속에서 비꼬아 들었던 것뿐이었다. 퇴원하고 나는 글을 쓰겠다는 생각을 행동으로 옮겼다.

"자신을 치유하는 글쓰기 클래스?"

남편이 가져온 리플렛에 흥미로운 수업이 있었다. 첫 시작으로 나쁘지 않겠는데? 기간도 적당하고, 큰 부담도 없을 것 같고. 그렇게 나는 글쓰기 세상에 첫발을 내디뎠다. 동시에 나는 새로운 버전의 인생 후반전을 시작했던 것이었다. 나는 삶의 모든 순간에 그리고 나에게 집중했다. 내가 주인공이라는 생각을 놓지 않으려고 노력했다. 주변과 세상을 세밀하게 관찰하면서 내가 어떤 사람인지, 내가 원하는 것이 무엇인지에 대해 놓치지 않으려고 했다. 무조건 양보하거나 회피하는 횟수가 조금씩 줄어들었다. 그리고 세상에 대한 나의 시각이 변해갔고, 세상도 나의 반응에 따라 조금씩 그리고 천천히 더 친절하고 밝게 변해갔다.

　아침에 눈을 뜨고 얼굴로 비추는 햇살을 즐긴다. 가끔 익숙한 아침이 낯설게 느껴질 때면 그때가 다시 생각이 난다. 꿈이었던 것일까? 이제는 시간이 많이 흘렀지만, 가끔 떠올리면 아직도 모르겠다. 너무도 생생한 그 시간이 그저 나의 꿈이었던 것인지 믿을 수 없는 사실이었던 것인지. 그러나 분명한 것은 어딘가에 있을지도 모르는 평행 세계라는 곳의 또 다른 오연하로서의 경험은 천운이었다. 그 꿈과 같았던 기회는 과연 누가 나에게 허락한 것이었을까? 신일까? 돌아가신 우리 부모님은 아니었을까? 여전히 풀리지 않는 수수께끼이다. '문학가 산책'은 대중적으로 인기가 높은 프로그램은 아니지만, 해외에도 방송이 나간다. 방송 촬영은 나에게는 즐거운 시간이었고, 우리 가족에게는 다른 의미에서 좋은 시간이었다. 방송은 며칠 전 방영되었다. 방송을 보았다는 큰아들 부부는 그제 Mom the Best라고 적힌 메시지 카드를 보냈다. 카드를 터치하니, 활짝 웃고 있는 큰아들네 가족사진과 각자 한 줄씩 쓴 것으로 보이는 메시지가 홀로그램으로 떠올랐다. 미국에 돌아오면 근사한 저녁을 대접하겠단다. 작은 며느리의 화상전화 온다.

　"어머니, 저희 지금 방송 봤어요. Evan도 할머니 멋지다고 좋아했고요. Evan, 이쪽으로 와봐. 내일 친구들에게 얘기해준다고 잔뜩 신났어요. 민재 씨도 어머님께 얼굴도 좀 보여드려야지."

민재는 어렸을 때부터 애교가 많았었는데, 사춘기를 지나면서는 부쩍 거리를 두었다. 그렇지만 내가 돌아온 이후 나는 내 절망에 가려졌던 아이들의 아픔에 더 관심을 기울였고, 아이들의 눈높이에 맞추어 사랑한다는 표현을 하려고 노력했다. 시간이 지나고, 엄마의 키를 넘어서게 자라면서 오며 가며 엄마를 한 번씩 안아주던 아이들. 민하도 민재도 자기 모습을 찾아가며 안정을 찾고 삶의 주인으로 성장해 왔다. 첫째는 카리스마 있는 콘텐츠 기업 대표가 되었고, 민재는 자신의 사교성을 부활시켜 스포츠 에이전시 파트너로 활기차게 살아가고 있다.

"엄마, 언제 이렇게 주름이 늘었어요? 잘생긴 아들을 못 봐서 그런 가보네."

"그러게, 우리 아들 보고 싶다. 다음 주에 들어가면 너희 집에도 며칠 들를게. 우리 며느리에게 양해 부탁하고, 바쁘신 아드님도 엄마, 아빠한테 시간 좀 내줘."

여전히 아기 때 얼굴이 겹치는 둘째는 웃으며 알겠단다. 나와 남편은 연락해 주어 고맙다고 또 얼굴 보자는 인사로 화상통화를 마쳤다. 내 인생도 20년 전 평행 세계의 오연하 못지않게 근사하지 않은가?

스스로 생각해 본다. 이렇게 멋진 경험을 하며 살고 있으니 말이다. 2024년의 사고 이후로 나를 찾고 두 발로 서게 되자, 남편과의 관계도 더 돈독해지고, 아이들도 자신의 길을 찾아가며 멋지게 살고 있다. 화상전화가 온다. 문화재단 한 실장이다.

"대표님, 수요일 오전 이사회 일정 리마인더 연락드립니다. 오전 10시 재단 본관 3층 회의실입니다. 그럼, 이사회 회의에서 뵙겠습니다."

기대어 살아갑니다

백선이

백 선 이   우는 방법도 기대어 살아가는 방법도 잃지 않기 위해 마음을 톺아보며
쓰며 살아간다. 우는 방법을 기대어 살아가는 방법을 잃어버린 당신의
마음속 깊은 곳에 울리며 닿기를

instagram : @ssuny_day2
email : blog.naver.com/ssunnyday

자신만의 매트 위에서 - 요가

　무더운 여름밤 저녁 처음 요가원에 등록하던 날이었다. 요가원은 하얀 벽으로 둘러 싸여 있었고, 콘크리트 천장 사이 주황색 조명 들이 놓여 있었다. 쭈뼛 거리며 선생님을 따라 들어갔다. 4줄로 줄지어져 있는 매트들 가장 뒷줄 구석에 매트를 깔고 앉아 주변을 두리번거렸다. 제일 앞자리 가운데 선생님의 동그란 매트가 놓여 있었다. 선생님의 매트 앞으로 각기 다른 요가매트 위에 가지각색의 요가복을 입은 다양한 연령층의 사람들이 줄지어 있었다.

　선생님의 설명에 따라 요가 매트 위에 등을 대고 누웠다. 등을 바닥에 붙여 두 다리를 직각으로 드는 선생님의 자세를 따라 하려 다리를 들었다. 나의 두 다리는 무겁게 가라앉았다. '어라' 30도조차 들리지 않는 무거운 다리에 눈동자가 흔들렸다. 주변을 두리번 거렸다. 앞줄 옆줄 회원님들의 골반과 허리는 반듯하게 매트에 닿은 체로 두 다리는 가볍고, 곧게 뻗어 졌다. '내 다리만 올라가지 않는다니 이대로 집으로 도망을 가야 하나?' '선생님이 내 몸이라도 잡으러 오면 어떡하지?' 빠르게 뛰는 심장박동소리가 귓가에 맴돌았다.

삼십 대 초반과 중반 사이를 지나며 주변 친구들은 하나둘씩 결혼을 하고, 아이를 가지고, 집을 사고, 아이와 함께 살기 위해 큰 집으로 이사를 한다.

'누구는 몇 평 짜리 집을 샀대.'

'누구는 제네시스를 탄대.'

'아이를 키우려면 이 정도 집은 있어야지.'

'이 나이대 이 정도의 차는 타야지.'

누가 정해 놓은 것인지 알 수 없는 암묵적인 기준으로 평가되고 있다면 달리고 있는 차들 사이 나만 덩그러니 멈춰 있는 것일까? 남들이 하는 만큼 가지지도 해내지도 못하는 내가 이상한 것인지 괜스레 어깨가 움츠러드는 날들 이었다.

요가 선생님이 줄지어 있는 회원들 사이를 돌아 다니며 회원들의 자세를 바르게 잡아줬다. 어깨로 바닥을 딛고 손으로 등을 받쳐 두 다리를 들고 있는 회원님의 틀어진 다리를 잡아주며 한쪽 어깨와 다리가 틀어져 있는데 짝다리를 많이 짚는지 미용 일을 하시는지 물었다. 회원님은 맞다고 대답하며 선생님이 잡아 맞춰 주는 손길에 두 다리의 균형을 맞추며 의연하게 다리를 뻗어 들고 동작을 이어 갔다.

우리의 몸은 이토록 다르다. 무슨 일을 하는지에 따라 사용하는 몸의 근육도 뼈도 다 다르게 틀어져 있다. 움직이지 않는 몸의 위치가 다를 뿐이다. 우리의 삶도 요가 매트 위에 서 있는 저마다의 자세와 동작 만큼 다른 것이지 않을까? 주변을 두리번거리던 시선도 경직되어 있던 몸의 힘도 툭하고 풀어졌다.

그로부터 2년 6개월이라는 시간 동안 의연하게 요가를 이어가고 있다. 들리지 않던 두 다리도 가볍게 곧잘 뻗어낸다. 틀어져 있는 골반과 다리의 균형을 잡아주는 선생님의 손길이 안전하고 편안하다.

새로 오시는 회원님들이 자기만 동작을 못 하는 것 같아서 창피하다고 하신다. 요가복 사이로 배가 너무 삐쳐 나오지 않았냐고 물으신다. 들리지 않던 나의 두 다리도 회원님의 요가복 사이로 삐쳐 나온 뱃살도 틀어진 어깨도 그냥 아주 괜찮다고 각기 다른 매트 위에서 있는 모습 그대로 그저 의연하게 자신만의 동작을 해나가면 그뿐이라고 대답한다. 뻗어지지 않던 두 다리도 자신만의 시간에 맞게 뻗어져 갈 테니 말이다.

자연스러운 소리를 울리며 - 바이올린

"일단 소리를 크게 내야지 뭐가 문제인지 어떻게 자세를 잡아야 하는지 소리를 어떻게 바로 잡을 수 있는지 알 수 있으니 힘 있게 활을 누르며 크게 울려 봐요. 바이올린이 울지를 못하네!"

바이올린은 섬세한 악기로 활을 잡는 자세부터 활을 잡은 팔의 각도와 현을 누르는 팔 힘과 무게와 빠르기에 따라 끽끽 거리는 소리가 나기도 하고, 맑고 깊게 울리는 소리가 나기도 한다.

두꺼운 패딩에 꽉 끼워지게 바이올린 가방을 메고 걸어야 할 만큼 추웠던 지난해 겨울 바이올린 교습을 받는 날이었다. 문화센터 바이올린 연습실 앞쪽에는 큰 거울이 달려 있다. 나무 바닥에 벽 쪽 구석으로 7개의 보면대가 떨어져 놓여 있다. 교습실 가운데 두 개의 의자와 하나의 보면대가 놓여 있는 자리에 선생님과 나란히 앉아 개인지도를 받는다.

'바이올린 선을 잘못 건드리지는 않을까? 끽끽거리는 소리가 나지 않을까?' 개인지도를 해주시는 선생님 앞에서 한없이 소리가 작아졌다.

나는 어려서부터 작은 실수 하나에 한껏 움츠러 드는 아이였다. 엄마가 일찍 돌아 가시면서 아빠의 손에 자랐다. 아빠의 뭉툭하고 투박한 손으로 묶어준 머리는 항상 삐쭉삐쭉 했다. 아빠가 골라주는 노란색 운동복 바지에 초록색 체크무늬 재킷은 언제나 위아래가 어울리지 않았다.

이제 막 초등학교에 입학했을 무렵 칼바람이 피부를 스치는 겨울날이었다. 그날도 어느때 처럼 삐쭉한 머리로 아빠를 따라 아빠의 지인들을 만나는 곳으로 갔다. 처음 보는 낯선 어른이 하얗게 터 있는 아이의 손을 보며 동정 어린 눈빛으로 바라보며 말했다.

"엄마가 없으면 이렇게 티가 나는 거야. "

낯선 아주머니가 내뱉은 무심코 스쳐 가는 한마디에 아이는 한껏 움츠러들며 아빠의 뒤로 숨었다. 작은 것 하나에도 엄마 없는 아이여서 그런다는 꼬리표는 언제나 작은 아이의 어깨를 움츠러들게 했다. 아빠는 집으로 돌아오자마자 아이를 화장실로 데리고 들어갔다. 세면대에 따뜻한 물을 채우고 하얗게 튼 아이의 두 손을 따뜻한 물에 불렸다. 물이 하얗게 변했다. 아빠는 불린 아이의 손을 있는 힘껏 때 수건으로 밀어냈다. "너는 애가 왜 손이 이 모양 이 꼴이야?" 버럭 소리를 질렀다. 순간 아이는 얼었다. 아이의 두 손이 빨갛게 익어 있었다. 두 손을 불리고 있던 따뜻했던 물의 온도와는 다르게 마음은 시렸다. 어디를 향한 누구를 향한 분노였을까? 작은 아이는 이를 꽉 물고 두 눈 사이 가득 고이는 물기를 틀어막으며 입꼬리를 올려 아빠를 향해 웃었다. 아이는 알았다.

'엄마 없는 아이라고 손가락질받지 않으려면 그 어떤 흠도 잡혀서는 안되는 구나'

'흠이 잡히면 아빠가 힘들어지는구나.'

아이는 눈물이 터질 것 같은 날이면 두 주먹을 꽉 쥐고 이를 꽉 물고 웃었다. 언제나 어디서나 알아서 잘 해내는 아이, 밝고 씩씩하게 잘 지내는 아이가 되기 위해 애썼다. 한껏 움츠러들던 '끽끽' 거리는 소리 가득한 어린 시절 이였다. 어른이 된 지금 생각해 본다. 작은 아이가 내고 싶었던 자연스러운 소리는 어떤 소리였을까? 꽉 다문 이와 꽉 쥐고 있는 주먹을 풀어내고, 숨이 넘어갈 만큼 '꺽꺽' 거리는 소리를 내고 싶지 않았을까? 안간힘을 쓰던 한껏 움츠러들었던 어깨를 펴고 꺽꺽 거리는 소리로 힘차게 울어 보고 싶은 밤이다.

오해가 이해가 될 때까지 – 수어 통역사

"수어(手語) 선생님! 저 친구가 포켓몬 딱지를 준다고 해서 가지고 있었는데, 오늘 다시 뺏어 갔어요!"

나는 수어 통역사다. 소리로 가득한 교실에서 소리를 듣지 못하는 농(聾) 학생의 수업과 학교생활에서 필요한 소통을 손으로 통역하는 일을 한다. 초등학교 교실 안은 책상과 의자가 줄과 열이 맞춰져 있다. 소리를 들을 수 있는 청인 학생들이 수업을 듣는 교실에서 소리를 들을 수 없는 한 명의 농 학생이 함께 공부한다. 교실 안은 앞니가 빠진 아이들의 웃음소리와 떠드는 소리로 가득하다. 학교로 출근 하자마자 가장 먼저 시작하는 일은 농 학생의 하소연을 보는 일과 청인 친구들의 민원을 듣는 일부터 시작 한다. 농 학생의 책상 앞에 앉아 손으로 말하는 농 학생의 수어와 표정을 본다. 농 학생은 주먹으로 가슴을 치며, 두 팔을 크게 움직이며 수어로 말한다. 발을 쿵쿵거린다.

"나는 딱지를 준거 아니라고! 빌려준 건데 왜 안 주는데?"

청인(聽人) 친구는 콧김을 내뿜으며 목청껏 소리친다.

"쟤가 제 딱지를 뺏어 갔다고요!"

농 학생은 포켓몬 딱지를 건내주며 빌려 준다고 생각하며 딱지를 건넸고, 딱지를 받은 청인 친구는 딱지를 준다고 생각하고 있었던 것이다. 소리를 들을 수 없는 농 학생은 딱지를 건네며 빌려 준다고 말할 수 없었고, 받는 아이는 말 없이 건네는 딱지를 당연히 준다고 생각하며 받았던 것이다. 수어 통역으로 오해가 풀리고 딱지를 하루만 더 빌려 주고 받기로 마무리가 되었다.

초등학생 시절 이였다. 아빠는 매일 아침 나의 방문을 두드리며 들어와 잠옷 주머니에 용돈을 넣어 주며 출근을 했다. 나는 눈도 다 떠지지 않는 잠결에 이불 속으로 부스럭 거리며 들어가 출근하는 아빠를 향해 대충 손을 흔들었다. 아빠는 부잣집의 장남이었다. 친 할아버지의 사업 실패로 할아버지로부터 용돈 한번 받아 보지 못한 것이 아빠가 힘들게 번 돈까지 뺏길 수 밖에 없었던 것이 평생의 한 이였다. 용돈은 아빠만의 사랑하는 방법 이였다. 내가 원하는 것을 먼저 물어 봐 주기를 바라는 것은 너무 큰 기대였던 것일까? 단 한 번도 내가 받고 싶었던 사랑이 아니었다고 말하지 못했다. 섬세한 딸과 무심하고 무뚝뚝한 아빠 사이의 틈은 날로 멀어져 갔다. 불만은 쌓이고 쌓여 머리 끝까지 가득 찼다. 사춘기 시절에는 방문과 함께 입도 마음도 다 걸어 잠가 버렸다. '아빠는 나에 대해 얼마나 알고 있을까?'

대학은 집에서 최대한 멀리 떠나자고 마음 먹었다. 아빠와 함께 살던 창원이라는 곳에서 가능한 멀리 떨어진 곳 천안으로 왔다. 아빠는 굳게 잠긴 딸의 입과 마음에 답을 찾지 못했다. 멀리서 사는 딸을 향해 걸려 오는 전화에 딸은 왜 전화 했냐는 퉁명스러운 말만 차갑게 전했다. 20대 후반이 될 때까지 최소한 필요한 용건만 전하며 살았다. 아빠와 딸 사이에도 통역사가 있었다면 얼마나 좋았을까?

30대에 접어들 무렵 뒤늦게 아빠에게 그때 나의 솔직한 마음을 고백했다. 아빠는 몰랐다고 왜 말을 하지 않았냐고 한다. 나는 왜 한 번도 물어보지 않았냐고 되물었다. 내가 뭘 좋아하는지 어떤 마음인지 궁금하지 않았냐고 어떻게 그렇게 궁금한 것이 없을 수 있냐고 너무한 거 아니냐고 따져 물었다. 아빠는 물어봐도 대답을 해주지 않을 것 같아서 기다렸다고 대답한다. 허탈한 한숨만 흘러나왔다.

나의 마음을 솔직하게 말하지 못하고, 아빠가 다 알아주기를 바랬던 마음과 아빠가 받지 못한 사랑을 나에게 주며 사랑이라고 하는 아빠의 마음이 포켓몬 딱지를 가지고 싸우는 아이들의 모습과 다르지 않다면 성숙한 사랑을 향해 나아가기 위해 서로에 대한 관심과 애정 어린 질문들이 계속돼야 하지 않을까?

"아빠! 먹는 거 하나 입는 거 하나 우리는 어떻게 이렇게 안 맞는 걸까? 아빠면 딸한테 맞춰줘야 하는거 아니야?"

우리는 여전히 서로를 다 이해할 수 없다. 다만 서로를 향한 질문과 불만을 멈추지 않기로 했다. 오해가 이해가 되는 그날까지 말이다.

기대어 씁니다 - 글쓰기

퇴근길 지친 몸을 이끌고 집으로 돌아온 저녁 이였다. 수면등 불빛 하나에 의지하며 인스타 피드를 보고 있었다. 분홍색 배경 화면에 다소곳이 놓여 있는 보라색 꽃 옆에 쓰여 있는 문구 앞에 시선이 머물렀다.

'나에게 시작해 너에게 다가가는 글쓰기 기대어 씁니다.'

'쓰면 쓰는 거지 기대어 쓴다고? ' 기댄다 라는 단어가 낯설게 다가왔다. 한참을 멈칫하다 글방 신청 문자를 보냈다.

뜨거운 여름날 매주 목요일 저녁 8시 온라인으로 만났다. 첫 만남에서 글방에서 불릴 이름을 정하고 자기소개를 했다. 글방 지기 두부님, 새소리님, 눈그린님, 조이님, 어썸님, 캥거루맘님, 나의 이름은 써니 였다. 1주 차부터 6주 차까지의 커리큘럼으로 나의 온도, 나의 계절, 나의 장소, 나의 음식, 나의 눈물, 나의아무튼 으로 진행 되었다. 매주 주제에 맞는 자신의 이야기를 써서 정해진 기한까지 글방 지기님에게 보냈다. 글 방지기님은 글에 대한 피드백을 준비 하고, 글을 쓴 이들은 다른 사람들이 쓴 글들을 미리 읽고 모였다. 만나는 날에는 자신이 쓴 글 한 부분을 읽고, 글에 대한 합평을 하며 작가님의 피드백도 나눴다.

3주 차가 지나갈 무렵 카톡 단톡방에 맛집 리스트와 맛있는 치즈케이크를 공유하는 카톡이 울렸다.

"맛있는 치즈케이크가 있는데 아이들이 오면 다 뺏어 먹어서 없을 때 먹어야 해요."

"저는 애들 먹이려고 음식을 하는데 어찌나 요리 실력이 늘지를 않는지."

아이들을 키우는 엄마들의 소소한 일상에 마음을 놓아 가고 있었다. 카톡 창에 울리는 카톡 소리는 서로가 가까워지고 있음을 알렸다. 5주 차에 다다랐을 무렵 또 한 번 멈칫거렸다.

"다음 주 월요일까지 나의 눈물에 대해서 보내 주세요. "

눈앞이 캄캄하고 마음이 무거워졌다. 머릿속이 뒤죽박죽이 되었다. '어디서부터 어떻게 써야 하지?' 나는 슬플 때 듣는 음악 플레이리스트를 고르는 것에서 시작했다. 정준일의 '그랬을까'를 출퇴근하는 시간 내도록 듣고 또 들었다. 글을 시작해야 하는 금요일이었다. 어둑한 저녁 퇴근하는 길 기차 플랫폼에서 이 음악을 들으며 주변을 둘러보았다. 기차에서 내리며 반갑게 포옹하는 연인들이 보였다. 떠나가는 기차에 손을 흔들며 헤어지는 인사를 하는 가족들이 보였다. 만남과 헤어짐이 공존하는 플랫폼에 홀로 있는 내가 맞는 바람은 스산하고 차가웠다.

'이별이 없는 만남은 없는 걸까 헤어짐 없는 사랑은 끝내 없는 걸까

... ...네가 떠나던 그날에 세상도 울었어.'

퇴근하는 기차 안에서 눈물이 터져 버렸다. 어린 시절 엄마가 세상을 떠나던 날을 떠올렸다. 어둑한 퇴근길 기차 창문 너머로 비치는 눈물범벅이 된 얼굴은 작은 아이가 울고 있는 모습 같았다. 갑자기 쓰러진 엄마를 보고 얼어 붙은 아이의 마음을 울먹이는 소리로 읽었다.

"대여섯 살쯤 이였다. 어두운 밤 초록색 대문 앞에서 대기하고 있던 엠블런스 불빛이 선명했다. 엠블런스 침대에 누워 실려가는 엄마 옆을 다급하게 따라가던 아빠를 보며 아이는 눈앞이 아득해 졌다. 동네 병원 응급실에서는 더 큰 병원으로 이동해야 한다는 긴박한 소식을 전했다. 큰 병원에서 급하게 뇌를 열어야 하는 대수술을 하였다. 몇 날 며칠을 중환자실에서 깨어나지 못한 상태로 지내다 일반 병실

로 옮긴날 엄마를 만나러 갔다. 아이는 설레는 마음으로 병실에 들어섰는데 머리카락이 하나도 없는 낯선 엄마의 모습을 보았다. 아이는 얼어 붙었다. 아이의 이름도 얼굴도 알아보지 못하는 엄마가 있었다. 엄마 몸에 붙은 뾰족하고 낯선 장치들도 보았다. 메케한 의약품 냄새는 지독하게 선명했다. 아이는 낯설고 얼어붙은 마음을 꾹꾹 누르며 어정쩡한 걸음으로 엄마 품에 안겼다. 아이가 마지막으로 안겨볼 수 있는 엄마의 품속이었다. 그로부터 며칠 뒤 엄마는 영원히 세상을 떠났다. 만남의 기쁨을 다 알기도 전에 마주하게 된 생애 첫 이별 이였다.“

줌 화면 사이로 먹먹한 침묵과 흐느끼는 소리만 흘렀다. 긴 침묵 사이 글 방지기님의 진심 어린 마음이 흘러나왔다.

“오프라인 모임 이였다면 얼마나 좋았을까요 줌 모임 이라는 사실이 아쉬워요. 오프라인 이였다면 꽉 안아줬을 텐데.” 약한 모습으로 기대는 게 싫었던 마음이 깨어지던 순간 이였다. 또 다른 누군가의 고백이 이어졌다.

“저는 몇 년 전에 아버지께서 자살로 돌아가셨는데 아직도 믿기지 않아서 울지를 못했어요. 그런데 아버지에 대해 다시 써보고 싶어졌어요.”

누군가의 또 다른 진솔한 고백에 다시 한번 왈칵 터져 버렸다. 뜨거웠던 여름 만큼 뜨거웠던 그 밤에 기대어 계속 쓰고 싶어졌다.

글쓰기는 '용기'의 영역이라고 매일 쓰는 나도 날마다 생각한다. 열기 전까지는 절대로 알 수 없는 무언가가 문 너머에 있다. 용기 내어 문을 열고 들어가면 세계가 달라진다. 크기나 너비나 깊이로는 측정할 수 없는 마음 같은 세계가 있다. 내 인생을 톺아보며 마음다운 마음을 만지고 만들고 꿈꿔볼 세계가 거기 있다. 문을 들어서면 생각보다 괜찮다. 여전히 나는 나. 그러나 문을 열고 들어온 나는 나를 마주할 수 있는 나. 나의 이야기를 쓸 수 있는 내가 된다. 글을 쓰는 순간만큼은 마음껏 자유롭다.

... ... 글쓰기는 더 이상 혼자만의 세계가 아니다. 마주 본 우리는 서로의 이름을 안다.

-고수리 '마음쓰는 밤'-

누군가의 마음에 기대어 쓰여진 나의 글이 이름 모를 누군가에게 기댈 수 있는 글로 닿기를 '나에게 시작해 너에게 다가가는 글쓰기 기대어 씁니다'의 문장이 시작되는 순간이다.

기대어 살아갑니다 – 놀이치료사

　가을과 겨울 사이 잎이 떨어지는 계절 이였다. 유난히 흐리고 거센 바람이 부는 날이었다. 검정색 니트 투피스를 입고 모래놀이 치료 교육에 참석했다.

　나는 놀이치료사 이다. 아이들은 언어로 자신의 상황과 상태를 표현하는 것에 한계가 있어 놀이실에서 놀잇감을 가져와 놀이실 바닥에서 놀이를 하며 자신의 내면을 표현한다. 모래놀이는 모래상자 안에서 피규어를 가져다 놓으며 자신의 내면을 표현한다. 모래놀이는 손으로 모래를 만지며, 감각적으로 모성(母性)에 깊이 접촉 할 수 있고, 무의식적인 내면에 더욱 집중할 수 있다. 모래상자라는 틀은 아이들을 조금 더 안전하게 한다. 놀이실도 모래상자도 자신만의 세계를 펼쳐 놓는 공간이다.

　놀이치료사는 정기적인 교육과 훈련이 필요하다. 그날도 교육을 받으러 가는 날이었다. 예정 되어있던 두 번의 교육이 끝나고 추가적으로 세 번째 교육을 신청해 가게 되었다. 오후 1시부터 6시까지 진행되었다. 첫 번째 시간에는 모래놀이 치료에 대한 이론적인 배경과 설명을 듣고. 어떻게 진행하는 것인지를 공부했고, 두 번째와 세 번째 시간은 치료자 경험과 내담자 경험을 번갈아 가면서 하는 교육 이었다. 거세게 부는 비바람 때문인지 세 번째 교육에는 취소한 사람이 있어 두 사람만 교육을 듣게 되었다. 교수님께서는 소수의 인원이라며 교수님께서 직접 놀이치료자 분석으로 진행 해주겠다고 하셨다. 마음의 소리가 입 밖으로 새어 나왔다.

"나이스!"

교수님께서는 자신의 부모와 형제들이 속해 있는 원래의 가족인 원가족을 보고 싶은지 나 자신을 보고 싶은지 물으셨다. 두 사람 다 나를 보고 싶다고 대답했다.

다같이 모래실로 향했다. 문을 열고 들어서자 사방의 벽면이 선반으로 채워져 있었다. 선반에는 자연, 동물, 사람, 악기, 사물 캐릭터 등 세상에 존재하는 가지각색의 사물의 피규어들로 가득했다. 교수님께서는 세계 곳곳을 여행 하실 때마다 캐리어 가득 피규어로 채워 오신다고 하셨다. 아이들이 더 많이 표현할 수 있도록 사물 하나하나에 이토록 진심일 수 있다니 피규어 하나에서 묻어나는 교수님의 진심 어린 마음이 보였다. 줄 열이 맞춰져 선반에 놓인 피규어들을 살펴보며 입이 다물어 지지 않았다. 자꾸만 웃음이 새어 나왔다. 피규어 선반들 사이 가운데 책상에는 빨간색, 흰색, 연한 황토색 등 색깔이 다양한 모래들이 놓여 있었다.

책상 아래 칸막이에 놓여 있는 모래 중에 원하는 모래를 골라 책상 가장 위 칸에 올려 놓았다. 나는 붉은색 모래를 선택했다. 눈에 들어오는 피규어 3개씩 가져와 놓는 형식으로 구조화 해서 진행 하셨다. 교수님께서는 각자가 이상할 만큼 자신의 눈에 들어오는 사물이 있을 것이라고 그 사물을 가져와 모래상자 위에 놓으면 된다고 하셨다. 정육면체의 투명 상자 안에 깜짝 놀란 표정의 아기 사진이 눈에 들어와 올려 놓았다. 어때 보이는지 물으셨다.

"아기가 깜짝 놀라고 있어요. 엄마가 사라져서 놀랐어요."

빨간 핏줄이 서 있는 눈알을 하나 가져다 놓았다.

"울음을 꾹 참으려고 이를 악물어서 눈이 빨개졌어요."

"교회 집사님들과 친구들이 모여서 놀고 있는데 갑자기 엄마가 토하다가 병원으로 실려 갔어요."

떠오르는 장면들에 주체할 수 없는 눈물이 왈칵 터져 버렸다. 헐레벌떡 달려와 나의 머리가 교수님 심장에 닿을 수 있게 안으며 토닥여 주셨다. 함께 울어 주셨다. 교수님의 심장 너머로 울려오는 울음소리에 또 한 번 눈물이 왈칵 터졌다. 어린 시절 엄마 등에 업혀 엄마 등 사이로 울리던 엄마의 목소리 같았다. 모든 힘을 풀어내고 기대고 있었다. 그렇게 폭풍 같았던 한 번의 모래상자 세션이 끝났다.

마지막 세션의 모래상자에서는 엄마를 떠나보내는 장면을 만들었다. 모래상자 한가운데 꽃장식의 병을 놓는다. 병에 엄마를 떠나보낸다. 병 주변으로 천사가 엄마를 실어 보낼 수 있게 데리고 간다. 모래상자 오른쪽 아래쪽에는 엄마의 관과 무덤도 만들었다. 교수님께서는 엄마에게 하고 싶은 말들을 물어보셨다.

"가지 마. 나만 두고 가지 마."

나는 떨리는 목소리 사이로 또 한 번의 눈물이 터져 버렸다. 교수님께 되물었다.

"저는 아직 엄마가 되어보지 않아서 잘 모르겠어요. 아이를 두고 떠나는 엄마는 어떤 마음이에요?"

"엄마는 아이를 두고 눈을 못 감지."

나는 다시 교수님께 되물었다.

"엄마는 눈을 감는 마지막 순간에 남겨진 아이에게 어떤 말을 가장 해주고 싶었을까요?"

"미안해. 그리고 사랑해 겠지."

20대의 마지막 거세게 불었던 비바람만큼 폭풍 같던 그날 비로소 교수님의 마음에 기대어 엄마를 떠나보낼 수 있었다.

.그로부터 2년 후. 친 할머니께서 돌아 가셨다. 부랴부랴 검은 옷을 찾아 입고 할머니의 빈소로 갔다. 아빠가 목 놓아 울고 있었다.

"딸. 아빠는 환갑이 넘은 나이에도 엄마를 떠나보내는 것이 이토록 아픈데 작은 아이였던 너는 얼마나 아팠을지 너의 마음을 너무 몰라 준 것 같아. 미안해."

눈물이 왈칵 터져 버렸다. 아빠를 안아주며 다독였다. 아빠가 나에게 기대었다.

"아빠! 나도 엄마가 너무 보고 싶다."

"아빠도 너를 참 많이 닮은 너의 엄마가 너무 보고 싶어. "

아빠가 나를 다독였다. 우리는 한참을 나누며 울었다. 누가 먼저라고 할 것도 없이 입 밖으로 꺼낼 수 없었던 이별에 대한 슬픔을 나누었다. 혼자라고 생각 했는데 나만 아팠다고 생각 했는데 사랑하는 아내를 잃었던 아빠의 마음은 얼마나 막막하고 아팠을까 서로의 마음에 기대어 우리는 오늘도 함께 자란다.

에필로그 : 마지막 인사

그리운 엄마에게

엄마! 수천 번도 더 넘게 불러보고 싶었는데 막상 부르고 나니 무슨 말을 어디서부터 시작해야 할지 모르겠어. 사실은 그 어떤 말보다 꼭 한번 안아보며 목 놓아 울어보고 싶기도 하고, 왜 나만 두고 갔냐고 보고 싶다고 징징거리고 싶은 마음이라 엄마 앞에서는 여전히 어린애 이고 싶은가 봐. 정말 많이 보고 싶다. 내 기억 속에는 지금 내 나이쯤의 엄마 모습으로 남아 있는데 엄마는 어른이 된 나의 모습을 지켜보고 있을까? 궁금하네. 어른이 되면 엄마의 손이 필요 없을 것 같아서 빨리 어른이 되고 싶었는데 막상 어른이 되고 나니 주변 친구들만 봐도 엄마랑 같이 친구처럼 여행도 다니고 티격태격 다투기도 하면서도 출산이며 손자 손녀까지 챙겨 주더라. 누구에게는 당연하고 평범한 일상이 내게만 없다는 사실에 울컥 하기도 했어. 어려서는 엄마랑 딸이 다정하게 걸어가는 모습만 보여도 엄마와 딸은 저렇게 나란히 걸으며 어떤 얘기들을 나눌까 궁금하기도 하고 부럽기도 하고 그랬는데 이제는 손주와 나란히 걷는 친정엄마의 모습을 보는 게 그렇게 부럽더라. 나는 평생 가질 수 없는 것들이겠지. 엄마가 세상을 떠나고 얼마 지나지 않아서 학교에서 가족 소개를 하라고 하는 거야. 엄마가 꾼 태몽도 써 오라는데 정말 너무 학교가 가기 싫었다. 세상 둔감하고 무심한 아빠는 그것도 모르고 눈치 없이 왜 학교 안 가냐며 화만 냈거든. 아빠는 눈치가 좀 없어서 엄마의 역할까지 해내지는 못하는데 나의 요구는 참 잘 들어줘. 아빠도 민감한 딸이 너무 어려웠대. 우리는 티격태격 그럭저럭 잘 지내고 있어.

나는 최근에 아빠로부터 독립도 해서 작은 아파트도 마련해서 나만의 공간도 꾸미고, 배우고 싶은 것들도 이것저것 배우면서 이렇게 책 출판까지 준비하면서 지내고 있어. 좀 기특하지? 엄마가 있었다면 엄청나게 칭찬해줬을 텐데. 그래도 교수님께서 대신 칭찬 해주셔서 엄청 좋았다. 엄마가 살아 있었다면 엄마는 독립하는 딸에게 무슨 말을 가장 해주고 싶었을지 그냥 한번 생각을 해봤어. 두 눈으로는 볼 수 없지만 두 눈을 감으면 보이고, 들리고 느낄수 있을 거야. 엄마는 언제나 네 마음 가장 가까운 곳에 있으니 지금처럼 너의 삶을 향해서 나아가라는 말을 하지 않았을지 지금까지 그래왔듯 그 어떤 순간에서도 너의 삶을 꿋꿋하게 찾아 나갈 거라고 엄마는 딸을 믿는다고 말하지 않았을까. 아빠는 관심이 없었던 게 아니라 나를 믿고 있었대. 아빠의 변명이 다 믿어지지는 않지만 믿어보려 노력 중이야. 무엇보다 이제는 나도 나를 조금씩 믿어보려고 해. 엄마도 이제는 편안하게 눈 감을 수 있겠다. 항상 가장 가까운 곳에서 지켜봐 줘.

수업 종이 울려서 들어가 봐야겠어. 아쉽지만 이제 진짜 마지막 인사를 해야겠네. 책 출판하는 날예쁜 꽃이랑 책 가지고 인사하러 갈게. 아빠도 데리고 가야겠지?

나의 사랑하는 엄마! 이제는 진짜 안녕.

가면 쓴 옳음을 바라보는 방법

막삼(MAXXAM)

막삼
(MAXXAM)

저는 사람들의 이야기를 듣는 걸 좋아합니다. 평범한 일상에서의 모습을 관찰하고 그들의 이야기를 글로 담아내고자 합니다. 특히 감정과 내면의 이야기요! 세상 모든 이야기를 담을 수는 없지만, 다양한 사람들이 공감할 수 있는 이야기를 쓰고 싶습니다. 제 MBTI 때문일지는 모르겠지만, 사람들의 작은 행동과 말 한마디에도 깊은 의미와 감동을 발견하고 세상을 좀 더 따뜻하게 바라볼 수 있는 시선을 같이 키워나갈 수 있길 바랍니다.

email : eown650@naver.com
blog : blog.naver.com/eown650

"곧은 것은 한결 같이 속인다. 진리는 하나같이 굽어 있으며, 시간 자체도 둥근 고리다." – 프리드리히 니체.

30여 년 전의 일입니다. 뽀얗게 먼지가 내려앉아 햇빛도 잘 들지 않던, 쿰쿰한 곰팡내로 가득 차 있는 3평 남짓한 제 방 안에서, 어머니가 어디선가 구해왔던, 누렇게 색이 바란 '니힐리즘의 찬가'라는 책을 훌훌 넘겨보다 발견한 이 문장을 지금도 생생하게 기억합니다. 당시에는 니힐리즘, 찬가 이런 어려운 말이 무슨 뜻인지, 제가 좋아하는 이 문장이 무얼 의미하는지도 잘 몰랐었지만 지금 와 생각해 보면 운명적인 이끌림이었다고 생각합니다.

어머니의 뱃속에서 먹고 자며 생존에 전적으로 의존했던 세상에서 폐 속 가득 찬 양수를 내뱉으며 스스로 숨 쉬어야 하는 세상으로 던져질 당시, 부모님은 제 눈, 코, 입, 손가락, 발가락이 모두 정상적으로 태어났다는 사실에 감사하며 제 얼굴을 쓰다듬고 기뻐하셨다고 말해

주셨습니다. 그러나 저는 생명의 가장 숭고하고 원론적인 탄생이라는 이 가치가 단순히 인간이 정한 '정상'이라는 기준에 따라 평가되는 부산물 형태로 여겨지는 현실에 적잖은 당혹감이 들었습니다.

저에겐 태어남과 동시에 평생을 낙인처럼 지고 살아가야 하는 이름이 정해졌습니다. '正道' 아버지가 언제나 올바르고 바른길로 살아가라는 뜻으로 지어 주신 이름입니다. 아버지에 대한 기억은 그리 선명하지 않습니다. 기억조차 희미한 유년 시절, 아버지의 사업 실패와 함께 가정에 찾아온 궁핍과 고난은 저에게 처음으로 세상이 바라보는 옳다는 기준선에서 벗어난 사건이었습니다. 아버지, 당신에게 있어 어린 자식과 아내가 함께 살아갈 삶보다 현실에 대한 기준이 더 견디기 힘든 탓이었을까요, 아니면 세상이 바라는 평범한 가장의 모습에 맞추지 못하는 자신에 대한 두려움이었을까요. 이유야 어찌 되었든 제 아버지는 "나는 그러지 못했지만, 아들아 바르게 살거라, 그리고 먼저 떠나서 미안하오."라는 말만을 남기고 햇빛이 강렬하던 어느 여름날 깔끔한 정장 차림으로 집을 나선 후 다시는 돌아오지 않으셨습니다.

이미 떠나 버린 아버지를 그리워하지는 않았습니다. 인간이 관계의 부재를 느낄 수 있다는 건, 그 사람이든, 사물이든 자신의 공간에 일정 부분 속해 있었어야만 하니까요. 하늘에서 펑펑 내리는 눈을 경험해 보지 못한 아프리카 어느 국가에서 평생 살고 있던 아이가 새하얀 정적에 뒤덮인 겨울을 느껴봤노라 말할 수 없듯, 제게 느껴보지 못한 당신의 존재를 논하고자 하는 것 자체가 모순적이기 때문입니다. 관계라는 연장선 끝에 다다랐을 때 생기는 원망이란 감정 역시 저에게 바르게 살라는 두루뭉술한 숙제만 남기고 떠난 당신에게는 할 수조차 없는 무의미한 감정이라 생각합니다. 오히려 언제든지 상대에게 책임을 떠넘길 수 있는 존재가 인간이란 사실을, 허울좋은 껍데기로 포장된 인간과 인간의 관계, 그것은 간절하고 아련한 어떤 것이 아니라 오히려 지독한 혐오감을 일으키는 단어로서 다시금 정의 내리게 된 사건의 시발점은 바로 당신이었지 않았을까요?

......

붉게 타들어 가던 하늘도 어느새 짙은 검정으로 바뀔 무렵, 익숙한 알람 소리가 휴대전화에서 울리기 시작했다. 저 멀리 희미하게 남아 있는 황혼빛조차 끝나갔다. 시끄럽게 타자 소리를 내는 키보드에서 손을 떼고 블로그의 '나'라는 카테고리 폴더에 지금껏 썼던 글을 저장했다. 고요한 적막과 웅웅대며 돌아가는 노트북 팬 소음만이 방 안을 가득 채웠다. 아무도 보지 않고, 아무도 찾지 않는 이 인터넷상의 공간은 오롯이 '최정도'나라는 존재가 스스로를 정의하기 위한, 누구에게도 보이지 않은 자신의 내면을 숨겨놓은 은밀한 정원과도 같다.

나는 옆에 울려 대는 휴대전화 속 쌓여 있는 문자를 확인했다. 문자 답장의 좋은 점은 그들에게 내 감정을 철저하게 숨길 수 있다는 것이다. 실제로 약간의 어투를 바꾸거나 이모티콘 하나, 연락의 주기만 조절하더라도 그들이 생각하는 나의 대외적 모습을 꽤 인상적으로 남길 수 있다는 것이다. 모든 것을 내 예상할 수 있는 범주 내에 두는, 정말 완벽한 연락 수단이리라. 나 스스로가 연락을 원했던 경우는 전혀 없었다. 인간관계는 사회생활에 있어 필수적일수 밖에 없다 생각하기에, 연락을 주고받는 이유는 자본주의 사회 속 오직 이득만을 위한, 그 이상도 그 이하도 아니었다.

"주말인데 뭐해? 이번 동창끼리 모이는 자리는 꼭 나와! 얼굴보기가 왜 이렇게 힘드냐?"

"정도씨, 저번에는 너무 즐거웠어요! 다음에 식사 한번 꼭 같이해요."

"안녕하세요, 금요일에 봤던……"

……

이런 무미건조한 자작극을 연기한다는 건 나에겐 꽤 수월한 일이다. 감정을 절제하고 그들이 바라는 모습을 보여주는 것만으로, 그들에게 있어 나는 '좋은 사람'이리라. 마치 잘 짜인 프로그램에 맞춰 작동하는 로봇처럼 응대하며 그들의 기대에 부응하는, 세상이 바라는 올바른 사람, 정도에 부합한, 말 그대로 정도의 삶이다. 서로가 원하는 모습을 연기하는 모습이 마치 세상의 기준이란 실에 묶여 이리저리 흔들리는 인형극을 보는 것 같다.

나는 연락하려는 대상의 얼굴을 세세하게 기억하려 하지 않는다. 그들과의 연락은 처리해야 하는 업무의 연장선일 뿐, 개인적인 관계 형성을 목표로 하는 것이 아니기 때문이다. 단지 내 호의는 최대한의 효율성을 추구하려는 방식일 뿐이다. 연락을 쾌락과 고통이라는 이분법적인 관점으로 바라본다면, 대부분의 연락은 고통에 가깝다고 느낀다. 가끔 실질적인 이득을 가져다주는 연락 이외에는 책임감, 의무감과 같은 부담스러운 감정을 필연적으로 동반한다. 시장에서 가치가 수요와 공급에 따라 결정되는 것처럼. 원하지 않는 연락의 지속은 '나'의 가치를 흔들고 깎아내리는 불필요한 소비 행위와 같다. 이건 무례하거나 비합리적인 태도가 아니다. 오히려 스스로의 기준과 가치를 존중하고 지키기 위한 선택이었을 뿐이다.

답장을 처리해 나갈 때마다 속에서 신물이 올라오는 듯한 메스꺼움을 느낀다. 표면적인 인사말과 위로들, 사회라는 울타리 안에서 살아가기 위해 짜맞춰진 행동 속에서 그들의 가식을 엿볼 수 있다. 나에게 당신은 봄바람에 이내 스쳐 날아가 버리는 민들레 홀씨 정도리라. 몇 줄 안 되는 문자를 통해 나의 진심을 겹겹의 가면에 감싸 전달한다. 나를 향한 꾸며진 호의에 대한 합리적인 페어플레이 아닌가? 그들과의 가면극 도중 최근 받은 문자에 묻힌, 제일 아래 어머니의 문자를 보았다. 언제 읽었는지 꽤나 아래 자리 잡고 있는 어머니의 문자함. 읽지 않았음을 상기시키듯 옆에 1이라는 숫자가 초록빛으로 빛나고 있었다.

"정도야 밥은 잘 먹고 다니지? 시간 날 데 엄마한태 연락 한번 주면 좋겠다. 엄마는 병원애서 잘 지내고 있으니까 걱정하지는 말고"

익숙하지 않은 스마트폰으로 한 글자 한 글자 적어 내려간 어머니의 문자. 눈에 띄는 틀린 맞춤법. 어머니, 모두에게 익숙한 그 명사를 생각할 때면 다른 이들에게 대할 때와는 사뭇 다른 감정이 몰려온다. 편안함, 그리움, 뭉클함, 눈물겨운… 등등 세상이 그녀에 대해 일반적으로 평가하는 감정과는 결이 다른, 오히려 불편함에 가깝다고 말할 수 있을 것 같다. 그녀가 나에게 어떠한 학대를 했다거나 무관심으로 방관했던 것은 아니다. 단지 훌륭하고 일방적인 사랑으로 내가 독립할 때까지 뒷바라지했던 인물이다. 나는 어머니란 존재를 높게 평가한다. 단순히 자신이 낳았다는 이유 하나만으로 자신을 희생하는 존재를 감히 어느 누가 무시할 수 있겠는가? 인문학 교양 시간에 흘러들었던 말이 문득 떠올랐다. "설사 자식에게 업신여김을 받아도 부모는 자식을 미워하지 못한다."

나는 이해가 되지 않았다. 아니 이해하려고도 했다. 하지만 항상 결론은 같았다. '답답한 사람'. 그녀의 희생은 매번 이 짧은 문장으로 수렴했다. 언제나 어머니는 사회가 바라는 올바른 상에 맞춰야만 했다. 자식에게 헌신해야 했으며, 미망인이라는 부제를 홀로 감내해야만 했다. 그녀에겐 당연하지 않았던 것들이 어느 순간 당연하게 여겨졌다. 어디를 가든지 그녀의 그림자 뒤에서 사람들은 동정했다. 저마다의 망상 한 꼬집을 가미해 그럴듯한 가짜 이야기를 만들어내며 이랬다느니, 저랬다느니. 그들에게 진실은 더 이상 관심거리가 아니었다. 어린 자식과 홀로 남게 된 어머니, 사람들이 우리 가정을 바라보는 눈빛 속에 담겨있던 건 애틋한 연민이 아닌 일상 속 지루함을 달래는 가십거리이자 지독한 호기심이었을 뿐이다. 그들에게 어머니는 단지 자신의 공감 능력을 과시하기 위한 수단이었고, 자신들의 삶과 그녀의 삶을 저울질하며 좋음과 나쁨, 옳음과 그름을 구분하는 잣대로서 평가했다.

다름이 틀림으로 가치 전환되던 순간, 그들의 눈빛 속에 담긴 진심을 정면으로 바라봤을 때, 그 순간은 여전히 생생하다. 사람들의 모습이 꿈틀거리는 오물 같아 보였다. 시꺼먼 속내를 숨기고 어떻게 던 인간의 형태만을 유지하려고 노력하는, 마치 어린 시절 만화영화에서나 보던 그런 괴상망측한 괴물같이 말이다. 화조차 내지 못하던 그런 어머니의 입버릇은 언제나 "내 탓이오, 내 탓이오"였다. 고행을 감내하는 수행자의 모습은 세간에선 숭고하며 칭송받는 일로서 평가되지만, 어머니의 고행은 자신의 성찰과 성장이 아닌 사회의 기준에 맞춰 자신을 깎아내리고 다듬는 행위였다. 세상의 올바름 이란 기준에 억압되고, 쓸려 나가는 어머니의 모습 속에서 나 역시 세상이란 틀에 맞춘 올바른 삶을 살아야 한다는 기시감을 느꼈을 때, 찬란하게만 느껴지던 세상이 썩어가는 무언가였음을, 그렇기에 나 자신이 그들을 혐오할 수 있음에 당위성을 부여했다.

적막을 깨는 시계 알람음이 들렸다. 오늘따라 유난히 조용하게 어둠이 내려앉은 세상이 반가웠다. 평소 생각조차 하지 않았던 아버지라는 생소한 문구가 등장해서? 묻어 두었던 어머니의 문자를 확인해서? 모르겠다. 세상을 밝게 비추는 태양이 떠오르는 낮보다 세상을 고요에 덮어버리는 저녁이 실질적으로 내가 살아있는 시간이다. 가식을 벗고 나로서 존재할 수 있는 시간. 세상이 강요하는 관계에 있어 합당하게 해방될 수 있는 이 시간. 창문을 열고 바라본 세상은 침묵에 잠겨 있었다. 이따금 들려오는 바람 소리는 완연한 고독에 잠길 수 있음을 알려주는 듯했다. 창가에 걸쳐 저 멀리 빨간 점으로 멀어져 가는 자동차들을 보며 습관적으로 담배를 꺼내 물었다. 습관적으로 피우는 담배는 더 이상 맛이든 향이든 즐기는 수단에선 멀어졌다. 그저 나에겐 아름다움과 거리가 멀어진 공허한 세상에선 채워지지 않는 쾌락을 몇몇 화학 성분으로 달래고자 할 뿐이다. "날이 밝겠지", 그리고 다시금 가면을 써야 하는 시간이 다가옴을 아쉬워하며 타다만 담배를 비벼 꺼트렸다.

이내 찾아온 아침, 태양은 요란하게 떠오르고 있으며 세상과 나를 떨어트려 둔 장막 역시 완연히 걷혀 연극을 시작하는 그날도 여느 때와 같았다. 출근 시간 회사로 가는 붐비는 지하철은 여전히 아침잠에 지친 사람들로 가득했다. 나는 그들과 다른 이유로서 지쳤지만, 왠지 오늘의 저녁은 평소보다 일찍 찾아올 것 같다는 생각이 들었다. 출근 길에 마주친 이웃들의 해맑은 인사 때문일까, 아니면 평소보다 면도 날이 날카롭게 잘 들어서 수염이 깔끔하게 한 번에 밀렸다든가 이유야 어찌 되었든, 이런 사소한 일 때문인지 오늘따라 그들이 원하는 모습을 좀 더 부담 없이 완벽하게 연기할 수 있을 것 같다는 생각이 들었다. 지하철 문이 열리고, 밖으로 나온 세상은 바쁘게 발길을 옮기는 사람들의 발소리로 분주했다. 개미처럼 바글거리며 움직이는 사람들 틈에 섞인 내 모습이 기둥에 붙어있는 볼록한 반사경에 확대되어 보였다. 그들에게 있어서 나 역시 똑같은 행인이리라. 이질감 없이 사회에 녹아들기 위해 모두 제각기 가면을 쓰고 다니는 하나의 큰 무대, 영화 트루먼 쇼에서 봤던 장면이 머릿속에서 펼쳐졌다. 주인공이 없는 영화 속 조연들의 세상, 나는 발걸음을 옮기며 작은 조소를 지었다.

특별한 일은 없었다. 직장에서 나에게 주어진 일을 해결하고, 사람들과 대화하고, 웃고, 식사하고. 불편한 정장을 입고 다니는 것처럼 행동하면 된다. 즐거운 척, 공감하는 척, 상황에 맞춰 행동하기만 하면 내가 우려하는 가면이 벗겨질 일은 없을 테니 말이다. 감정적인 문제를 해결하기 위한 근본적인 것은 불편한 감정의 진짜 원인을 파악하는 일이라고 한다. 그렇다면 문제를 만들지 않기 위해 그 원인을 타인에게 들키지만 않으면 되는 것이 아닌가? 타인에 대한 좋은 감정, 나쁜 감정은 단지 기준에 맞춰 보기 좋게 나눈 분류에 불과하다. 상황에 맞는 적절한 감정적 응대만이 존재할 뿐이다. 그들 역시 진정한 나를 좋아하는 것이 아니기에, 허울좋게 생긴 껍데기, 매일 쓰고 다니는 가면을 사랑할 뿐이다.

퇴근 시간이 점점 다가오면서 내 마음도 덩달아 충만해진다. 진정한 나로 돌아갈 시간은 이 가식적인 굴레 속 유일한 안식처라고 생각한다. 그렇게 떨어지는 노을을 눈에 담고 있을 때 전화가 울렸다. 처음 보는 번호지만 어째서인지 받아야만 할 것 같은 느낌이 드는 때가 있지 않은가? 전화는 받으라는 걸 재촉하듯 화면이 반짝이고 있었다. 예상을 빗나가지 않듯 수화기 너머로 담담하지만 차가운 목소리가 들렸다.

"최정도씨 맞으신가요? 서울빛암병원입니다."

"네, 맞습니다. 무슨일이신가요?"

"죄송합니다, 18시 25분 최정도씨 어머님 정영인님이 별세하셔서 전화 드렸습니다."

담담했다. 그토록 원하던 시간이 다가왔음에도 오늘만큼은 세상이 바라는 아들의 모습으로 살아가야 한다는 생각이 가장 먼저 들었다. 회사에 이 이야기를 전하자, 그들의 눈빛 역시 바뀌었다. 그때의 그 눈빛이다. 입으로 전해지는 위로의 말들은 귀에서 귀로 통과되어 멀리 멀어져갔고, 그들의 진심 어려 보이는 태도 역시 채 벗지 못한 가면의 일부리라. 이런 일이 일어날 줄 알고는 있음에도 막상 일이 닥쳐오니 어머니의 부고 소식보다 회사 사람들과 지인들의 태도에 눈살이 찌푸려졌다. 그저 이 공간을 빨리 벗어나고 싶었다. 이미 밖은 어둑해졌지만, 나에겐 멀리 비추고 있는 달빛이 마치 한낮 정오의 태양보다 밝아 보였다. 병원에 도착했을 때 앙상하게 누워있는 어머니의 모습은 초라했다. 두 남자의 인생만 뒷바라지하던 그녀의 말로는 병원 침대에서 혼자 쓸쓸히 눈을 감는 것이었고, 나는 고생만 하다 떠나게 된 그녀의 차갑고 투박한 손을 꽉 잡았다. 사인은 역시나 진행된 위암 때문이었다. 독한 항암치료는 남아있던 그녀의 생기마저 앗아갔고 앙상하게 튀어나온 뼈마디가 그동안의 고생을 말해주는 듯했다. 다시금 마음속에 묻어두었던 불편한 감정이 불쑥 솟아올랐다. 그녀가 꿈꾸던 마지막은 이런 게 아니었을 것이다. 특히나 이렇게 볼품 없어 보이는 모습으로 자기 자식을 맞이하는 최후는 더욱이나. 언젠가 어머니가 어린 나에게 했던 말을 곱씹었다.

"정도야, 엄마는 작은 꽃집을 하고싶었다? 그래도 엄마는 그때보다 지금이 더 행복해."

답답한 사람. 그녀에 대한 마지막 평가는 이전과 다르지 않았다. '좀 더 잘해드릴걸'과 같은 후회도 아니었고 '우리 엄마 이렇게 살다 가시면 어떻게 해'같이 어린애 같은 앙탈도 아니었다. 단지 당신에게 진작에 털어놓지 못한 내 생각에 대한 아쉬움이었다. 다른 이들과 결이 다른, 부모와 자식이라는 피로 엮인 이 관계는 그 어떤 관계보다 사회적 관심이 각별하다. 자신의 선택이었지만 우연성으로 만나게 된 당신과 나, 이 고리가 없었더라면 그녀는 좀 더 자유로웠을까. 세상이 바라는 어머니로서 해야 했던, 해내야만 했던 그 과정이 당신을 여기까지 이끌고 온 것이 아닌가. 애도 같은 뭉클한 감정이 아닌 끈적한 불편함이 몸을 휘감았다.

장례 절차 같은 경우는 생각보다 빠르게 진행되었다. 자잘한 행정 처리부터 크게 신경 써야 할 부분까지 상조 보험사가 알아서 처리해주었고, 정작 내가 준비해야 할 건 그저 상주로서 역할을 하는 것뿐이었다. 의례적으로 친척과 지인들에게 소식을 전했고, 어머니는 평생 그토록 좋아하던 알록달록한 꽃이 아닌 흰색으로 가득 찬 꽃밭에 몸을 뉘셨다. 찾아온 지인들은 심심한 위로를 던졌고, 오랜만에 보는 친척들도 그녀의 영정사진 앞에서 눈물을 훔쳤다. "당신은 평생 고생만 하다 간다며, 아들 하나 잘 키웠다." 말을 마치며 떠나는 조문객들의 입을 틀어 막아버리고만 싶은 충동이 강렬했다. 그들은 우리의 삶을 몰랐고 나 역시 그들의 삶을 몰랐다. 비슷한 사건 속에서 비슷한 레퍼토리를 연기할 뿐인 이 장소가 참 역겨웠다.

그렇게 장례를 마무리하고 회사에선 마음을 추스르고 오라는 명목으로 5일의 휴가를 받았다. 이전까지 쓰지 않았던 연차를 더해 총 11일, 직장인으로서 길다면 긴 휴가가 시작되었다. 처음 이틀간 어머니의 납골당에서 시간을 보냈었다. 그녀에 대한 그리움보단 그렇게 해야만 할 것 같았다. 칸칸이 채워진 납골함을 보며 그들의 삶을 바라봤다. 오래오래 살고 간 이도 있고, 또 누구는 내 인생의 채 절반도 안 되어 한 줌의 뼛가루로 화장된 사람도 있었다. 이곳에선 어떤 일이 있었는지, 어떻게 살아왔는지는 중요하지 않다. 단지 정적과 이따금 사람들의 흐느끼는 눈물 소리만 존재했다. 살아있는 그러나 세상의 어떠한 평가도 닿지 않는 이곳이 마음이 편했다. 납골당 안쪽의 어느 사진을 봐도 고인의 생전 슬퍼 보이는 모습을 담아둔 사진은 없었다. 전부 웃고 있거나 잘 나온 사진뿐이었다. 사진이 없다면 생전 좋아하던 것들로 가득 찬 한 칸의 그 공간이 내가 살고 있는 세상보다 더 평화로워 보인다. 이후는 그저 집에 멍하게 있을 뿐이었다. 이따금 뒤늦게 날아오는 위로의 문자 답장 말고는 딱히 할 일도 없었고, 창밖에 기대 떨어지는 해를 기다릴 뿐이었다.

7일 차 집에 머물러 있는 동안, 정확히는 칩거 생활을 한지 일주일째 되는 날. 평소와 똑같이 창밖 담배를 태우며 바라본 세상은 다를 것이 없었다. 밖은 여전히 부산스러웠다. 오랜만에 블로그를 들어가 '나'라는 폴더에서 글을 써내려 갔다.

세상이 바라는 모습에 맞춰 살았던 그녀의 삶이 아름답게 포장되지는 못했습니다. 세상이 바라는 모습에 맞춰 살았던 그녀의 삶은 행복했을까요? 아버지가 저에게 주신 이름처럼 올바르게 산다는 것이 제 삶에 있어 최종적으로 달성해야 할 목표라면 나는 당신을 원망하겠습니다. 제게, 그녀에게, 그리고 당신에게 바라던 모습이 정말 진정 옳은 길을 걷는 사람의 모습일는지요. 아버지 당신은 조금 더 일찍 이 사실을 알아버렸는지도 모르겠습니다. 어머니 당신은 알았지만 풀지 못하는 나라는 족쇄 때문에 이리저리 치이고 상하셨을까요. 당신들이 있는 그곳에서는 정답을 들을 수 있을까요. 아니면 그곳에서조차 맞춰 살아가고 있을까요. 저는 나름 정직하게 살았다고 말할 수 있을 것 같습니다. 가면을 쓰고 한 거짓말을 들킨다면 거짓말쟁이가 되지만, 여전히 그들이 제게 보내는 호의가 밖에선 지속되고 있으니 말이죠. 마음속으론 세상 그 아무도 모르게 제 마음을 그들에게 털어 두고 있다는 사실을 그들은 알까요. 세상이 바라보는 옳은 길, 정도의 삶이 제게 어떠한 명분조차 되지 않았다는 사실을 지키고 있는 한 저 스스로는 정직합니다. 저는 위선자가 아닙니다. 더욱이 진실을 모두 알고 있는 현자도 아닙니다. 세상과 나 사이에서 의문을 가진, 곧 바스러져 갈 사람일 뿐입니다. 오늘의 달빛이 끝나가면 내일의 태양이 다가옵니다. 저의 마음은 항상 오늘의 마지막에 머물기를 기대하고 있습니다.

블로그 글을 마치고 바라본 창가에 노을 빛이 뉘엿뉘엿 기울고 있었다. 술을 잘 하지는 않지만 오늘만큼은 마시고 싶었다. 평소에는 배달로 받아 나가지조차 않던 문 앞에 서서 어둠이 내려앉고 있는 방안을 바라보니 꽤나 방이 넓게 느껴진다는 사실을 새삼 느끼고 있었다. 외출은 그리 멀지 않았다. 가까운 동네 편의점을 향하는 길, 하루를 마치는 사람들 사이에 섞여 나의 하루는 시작되고 있다. 어둠이 내린 공간은 늘 상 보던 곳과 다른 느낌을 선사한다. 한 번도 나는 내가 음습한 폐인이라고 생각한 적이 없지만, 오늘 그리 멀지 않은 길을 걸어가는 동안, 그렇게 살아가는 사람들의 삶이 어쩌면 나와 비슷할 수 있을 것이라 감히 상상해 봤다.

맥주 두 병 소주 한 병을 사 들고 돌아가는 발걸음은 가벼웠다. 아까 하던 생각들은 그저 망상에 불과했을 뿐이다. 바지 주머니에 넣어둔 휴대전화를 꺼내다 이물감이 느껴졌다. 어머니가 남기고 간 그 빛바랜 반지 때문이었다. 그토록 소중하게 간직하고 있던 어머니의 마지막 물건, 반지라는 그 작은 금속 조각의 의미는 그녀에게 있어 어떤 의미였을는지는 모른다. 그러나 나에겐 물리적으로 느껴지는 세상의 규율 같았다. 어떻게 처분해야 할 지 고민하며 횡단보도를 걷고 있었다. 아는가? 어떤 사건은 급작스레 일어나기 마련이다. 인과조차 묻기 힘든 그런 일들. 오늘 블로그 글을 쓰느라 늦게 나왔기 때문에? 평소에는 즐기지 않던 술을 마시려 했기 때문에? 어머니의 반지를 꺼내 봤다는 사실 역시도 이유가 될 수 없고, 원인조차 될 수 없는 일들 말이다.

몸이 가벼웠고 들고 있던 반지가 붕 떠 있었다. 손에 들고 있던 술이 담긴 봉투 역시 내용물을 흩뿌리며 날아가고 있었다. 내가 세상을 바라보는 모습 역시 슬로우 모션처럼 느리게 흘러갔다. 영화 속 한 장면처럼 나에게 헤드라이트를 밝히며 다가오는 자동차가 급하게 브레이크 굉음을 내며 도로에 짙은 바퀴 자국을 남기고 멈추려 했던 게 내 마지막 기억이었다. 귀에선 찢어질 듯한 이명이 들렸고 눈앞의 밝은 빛은 이내 암전되었다.

......

오늘은 운이 좋았다. 외국에서의 긴 출장을 마치고 집으로 돌아가는 길, 하늘마저 집으로 돌아오는 길을 축복하듯 티 없이 맑은 날이었다. 직원의 실수로 돌아오는 편 비행기가 취소될 뻔했지만, 다행히 그런 일은 일어나지 않았다. 더욱이 항공사의 배려로 평소에는 타보지도 못한 업그레이드 된 비즈니스석 좌석에 앉아 마음 편하게 출발하며 고급스러운 서비스를 무료로 받게 되니 마치 어느 잘난 회사의 전무 정도 되는 듯 어깨에 괜스레 힘이 들어갔다. 일반 좌석에 앉았다면 이토록 만족스러운 비행이 아니었을 것이다. 공항에 도착하고 맡겨 놓은 차를 찾은 뒤 결혼기념일에 맞춰 예약해 둔 케이크를 찾다 보니 어느새 새카맣게 어둠이 몰려왔다. 매일 주 5일 이상을 다녔던 도로,

눈감고도 운전대에 손만 올린다면 집으로 찾아갈 수 있는 듯 익숙하다. 때마침 라디오에서도 내 기분을 대변이라도 하듯이 신나는 80년대 R&B비트의 팝송이 흘러나왔다. 저절로 콧노래가 흘러나오고, 핸들 위의 손가락도 춤을 췄다. 페달을 지그시 밟으며 스피커에서 나오는 노래와 살짝 내린 자동차 창문에서 불어오는 저녁 바람이 꽤 조화로웠다. 오늘만큼은 이 동네에서 가장 사랑받는 남편이리라. 트렁크에 가득 선물과 케이크를 싣고 달려가는 모습을 누가 본다면 마치 크리스마스 날의 산타할아버지가 떠오를지도 모르겠다고 생각을 했다. 그 일이 있기 전까지 말이다. 아내에게 자랑할 마음으로 가득 차 너무 흥이 났던 탓일까, 한 손으로 와이프에게 이제 거의 다 도착했다는 문자를 보내고 있을 때, 아주 잠깐 시선을 옮겼을 뿐이지만 내 생각보다 자동차는 빠르게 달리고 있었다. 사람의 형체가 눈앞에 보이자마자 브레이크를 밟았지만 뉴턴이 말했던가, 제1 법칙은 관성의 법칙이라고. '텅' 둔탁한 소리와 함께 타이어 마찰음이 괴성을 질렀다. 내 맘을 알아주던 라디오에선 눈치 없이 여전히 신나고 경쾌한 비트가 흘러나오고 있었다. 정말 그 찰나의 순간이 이 동네에서 가장 사랑받는 남편에서, 횡단보도를 건너는 사람을 가차 없이 쳐버린 가해자가 되었다. 도로 위에는 그 사람이 들고 있던 맥주병과 소주병이 깨져 어지럽게 흩어져 있었다. 저 멀리 신음하며 꿈틀대는 형체를 보며 그에 대한 걱정보단 당장 지금 자신의 안위를 걱정했다. 오늘은 운수 좋은 날이었다. 모든 게 잘 풀릴 것만 같았고 지금까지 고생했던 나는 세상에 합당한 보상을 받았어야만 했다. 아까의 고양감은 온데간데없고 등

줄기를 타고 흐르는 식은땀이 온몸을 스산하게 덮쳤다. 자신의 명백한 실수지만 온전하게 인정하고 싶지 않았다. 결혼기념일이라고 케이크 같은 사치 부리지 않았더라면, 할부로 샀던 자동차가 조금 더 좋은 성능을 가졌더라면, 하다못해 고생하고 온 남편에게 아내가 먼저 전화 한 통 줬더라면. 오만가지 많은 감정이 파도처럼 내 마음을 휩쓸었다. 그 중에서도 원망이라는 날카로운 칼날이 어떠한 감정보다 빠르게 여러 대상을 스쳐 지나갔다. 내가 가진 모든 관계와 감정에 깊은 상흔을 남기며 어디에도 도달하지 못한 채 결국 감정의 시작점인 나 자신으로 돌아왔다. 퍼뜩 생각의 꼬리 물기를 하다 눈앞에 보이는 현실로 돌아왔다. 다행히 내가 치었던 사람의 생명은 붙어있는 듯했다. 나는 후들거리는 손끝으로 119를 눌렀다.

······

새카만 어둠이 보였다. 별빛, 달빛조차 보이지 않는 사방이 칠흑 같은 어둠이었다. 끔찍이도 조용했고 침을 삼키는 소리마저 이내 저 깊은 적막 속으로 옅어졌다. 내가 그토록 원했던 밤의 가장 완벽한 형태였지만, 그 공간에 나라는 존재마저 느껴지지 않았다. 육체적인 정보로 이 현상을 받아들이는 것이 더 이상 불가능했다. 당황스럽지만 어떻게 해결할 수조차 없었다. 자신의 마지막 기억은 빠르게 다가오는 자동차 앞에서 멈춰 있었지만, 이곳은 지금까지 나 최정도가 살아왔던 세상이란 공간과는 전혀 다르다는 느낌을 받았다. 사고가 일어났던 건 인지했지만, 이 상황에 대한 인지는 할 수가 없었다. 아무것도 보이지 않기에 모든 방향에 내가 있었고 내가 있는 자리에는 내가 느껴지지 않았다. 상반된 두 가지 생각들이 자꾸 겹치다 발산되었다. 내 정신은 그것을 느꼈다고 말한다. 그러나 내 육체는 그것을 느낄 수 없다고 말하고 있다. 난생처음 느껴보는 감각이 어디서 어떻게 느끼는 것인지 알지 못했다. 지금이 현재인지, 과거인지, 그렇지 않다면 미래인지 머릿속이 복잡했다. 그 어떠한 것도 기준 삼지 못하는 이곳이 진정 내가 꿈꿨던 세상인가. 나 역시 판단하지 못하는 이곳에서는 그 어떤 것도 의미가 없었다. 목청이 떠나갈 정도로 소리 질렀지만, 끝도 보이지 않는 어둠은 느끼는 것 이외의 어떠한 행동도 허락하지 않았다. 종교에서 말하는 영원의 형태는 이런 것일까. 언제까지 이렇게 있어야 하는가. 젖먹이가 부모 품에서 편안함을 느끼지만 나를 품고 있는 존재가 언제든 나라는 존재를 영영 지워버릴 수 있다는 불안감이 엄습해 왔다. 사고나 어떤 모종의 이유에서 혼수상태에 빠졌다 돌아온 사람들의 인터뷰가 떠올랐다. 나에게 있어 영겁의 시간이라 느끼는 이 순간도 밖에 있는 이들에게는 찰나의 시간이리라. 현실의 내가 살아있는지 알 수 없다. 그렇다고 지금의 나는 죽어 있는가? 그것 역시 알지 못한다는 사실이 끔찍하게 다가왔다.

얼마만큼의 시간이 흘렀는지도 모르겠다. 5년일까, 7년? 자아를 잃지 않기 위해 스스로 1초라는 기준을 만들어 시간을 셌던 것도 진작에 포기했다. 규칙이란 없는 이 곳에서 나의 기준점을 스스로 세울 수 있다고 믿었던 것이 얼마나 건방진 행동인지 깨닫는 데는 그리 오래 걸리지는 않았다. 마음은 이전보다는 편해졌다. 그러나 가장 나를 힘들게 하는 것은 더 이상 보이지 않는 두려움 따위가 아니었다. '나'를 더 이상 정의할 수 없다는 것, 그 사실 하나가 견디기 힘들었다. 그래서 사람들의 이유 있는 호의가 그리웠고, 가면을 자유롭게 쓰고 벗을 수 있다는 것 자체가 진정한 자유로움이었다고 생각했다. 연극이 끝나면 연기자는 원래 자기 모습으로 돌아가지만, 그때까지 '나'라고 생각했던 모습조차 결국 한 겹의 가면이었다는 사실을 애써 부정하며 살아가는 한 인간의 이야기가 그려졌다. 내가 살았던 세상에는 당연한 것은 없다. 전부 필연적인 일이었다. 나의 탄생과 함께 시작된 그녀와의 만남, 사람과의 관계, 그리고 이별까지 전부 나만이 그들을 판단할 수 있다는 잣대를 들이밀었던 오만한 생각이다. 그들 역시 각자 자신만의 기준으로 나를 측량하고 있었을 텐데 말이다. 마치 이 공간처럼.

깊은 어둠이 나를 당겨오는 것이 느껴진다. 깊어지면 깊어질수록 이상하리만큼 어둡다는 느낌은 받지 않았다. 오히려 점점 밝아지는 듯한 느낌이 들었다. 숨소리조차 들리지 않는 고요함에서 나는 혼자였다. 그러나 이젠 둘이고 셋이 된다. 기억은 흐릿해지고, 생각은 선명해져 간다. 밝아지는 느낌이 좀 더 강하게 다가온다. 눈을 뜨려 노력했지만, 무거운 눈꺼풀은 쉽사리 뜨이지 않았다. 희미하게 기계 비프음이 들려온다. '띠-, 띠-.' 빛은 점점 더 커지고 단조로운 기계음에서 웅얼거리는 사람들의 외침이 섞인다. 희미한 목소리가 내 귀에 들렸다. 목소리와 함께 단편적인 기억들이 머릿속에 떠올랐다. 누군가가 나의 이름을 불렀다. '최정도' 참 오랜만에 들어보는 울림이다. 마침내 눈꺼풀이 천천히 열렸다. 눈 부신 빛이 나의 눈에 들어온다. 새하얗게 보이는, 내가 있던 공간과 정반대의 세상. 나는 천천히 눈을 감고 뜨기를 반복했다. 주변에서는 분주하게 움직이는 사람들이 보였고, 하얀 천장, 병실의 모습, 어지럽게 내 신체 정보를 보여주는 기계장치가 보였다. 나는 직감적으로 알게 되었다. 코마에서 깨어났다는 사실을. 영원할 줄 알았던 시간이 끝났음을. 그리고 이 세상에서의 삶이 얼마나 짧은지를.

의사 선생님의 진단에서 나는 교통사고로 인한 과다 출혈, 그로 인한 쇼크 때문에 약 4개월 정도의 혼수상태에 빠져 있었다고 듣게 되었다. 4개월, 내가 현실에서 보냈던 시간은 단지 그 정도였다. 또 한 가지가 더 있다고 말을 머뭇거리며 말해 주신 것은, 사고 당시 유리 파편이 왼쪽 눈에 심하게 박혀 더 이상 한쪽 눈은 쓸 수 없다는 사실을 알려 주셨다. 어둠에 너무 익숙해져 있던 탓인지 그렇게 이상하지는 않았다. 오히려 한쪽 눈으로라도 세상을 볼 수 있음이 감사했다. 사고 전의 나였어도 단지 눈 한쪽 잃게 되었다고 길길이 날뛰며 분노하지는 않았을 것이다. 오히려 바라보고 싶지 않은 세상을 절반만 볼 수 있게 되었다고 자조하는 태도로 넘어가지 않았을 까 생각해 본다. 몸 상태는 조금 더 검사해 봐야 알겠지만, 큰 이상이 없다면 금방 퇴원할 수 있을 거라고 들었다. 나는 병실 침대에 누워 잠들어 있던 휴대전화를 켰다. 쌓여 있던 문자 알림이 한꺼번에 튀어나와 휴대전화가 버벅거렸다. 그동안 확인 못 했던 어머니의 부고 소식에 관해 위로를 보내는 문자, 회사에선 휴가 날이 끝나가는데 연락이 되지 않는다는 업무적인 내용이 담긴 문자, 내 사고 소식을 듣고 걱정하는 지인들의 문자, 잡다한 광고성 스팸 문자까지도. 하나하나 읽어보며 답장을 해 나갔다. 손가락에 힘이 자꾸 풀려서 힘든 것 이외에는 그들의 문자가 반가웠다. 저 멀리 떨어져 있어도 이야기를 주고받을 수 있음에 가슴이 벅찼다. 보내준 한 사람 한 사람 모두에게 진심을 전달했다. '나를 향한 당신의 걱정이 정말 고마웠다고.' 모든 문자를 처리하고 마지막으로 남아있는 어머니의 읽지 않은 문자함, 그곳에는 여전히 파랗게 숫자 1이 떠 있었다. 쌍방의 대화가 아닌 어머니의 일방적인 문자함에는 온전히 나를 걱정하는 내용으로 가득했다. 더 이상 오지 않을 그녀의 문자 하나 하나가 보물처럼 느껴졌다. 마지막 끝까지 내리고 나서야 휴대전화를 내려놓으려던 순간, 그녀의 번호로 짧은 문자가 전송되었다.

"아들, 엄마가 언제 떠날지 몰라서 에약전송 하는법 물어봤어, 생일 축하한단다. 하나뿐인 내 멋장이 아들! 엄마가 미안헤, 고마워."

휴대전화 날짜를 확인해 보니, 8월 19일, 내 생일날이다. 서툰 타자로 아픈 몸을 이끌며 예약 문자를 보내는 어머니의 얼굴이 그려졌다. 그녀가 병원에서 지독한 암 투병을 할 때, 나에게 문자를 보내는 순간만큼은 행복했을 것이다. 회신 되지 않는 답장을 바라면서도, 자신의 진심을 담아 전달했음에 만족하는. 나의 어머니라면 그랬을 것이다. 뜨겁게 눈물이 볼을 타고 흘러내렸다. 그녀에 대한 미안함과 감사함이 뒤섞인 눈물이었다. 세상의 기준은 그녀를 깎아내렸지만, 어머니는 개의치 않으셨다. 왜냐하면 그녀에게 있어서의 기준은 오직 나였기 때문이다.

더 이상 문제가 될 게 없다고 판단했는지 병원은 퇴원 통보를 했다. 수속은 여전히 빨랐다. 오랜만에 돌아온 집은 여전히 그대로였다. 가구 위에 뽀얗게 쌓여 있는 먼지를 털어내고 바닥을 쓸고 닦았다. 원체 깔끔하게 살았던 덕분인지 청소는 금방 끝났다. 나는 오랜만에 내 책상 앞에 앉아 이 공간 안에서 생각했던 걸 곱씹어봤다. 자연스럽게 노트북 전원에 손을 가져다 놓고 늘 쓰던 블로그 '나'라는 카테고리에 들어가 지금까지 겪었던 비현실적인 이야기와 감정, 느낌을 써 내려갔다. 이번엔 나 혼자만 보는 것이 아닌 전체 공개로 말이다.

......

'회고록이자, 오만했던 고백이며, 나의 부끄러운 자화상을 보게 될 당신을 위해.' 마지막 마침표를 찍은 나는 깜빡거리는 키보드 커서를 멍하게 응시했다. 밝게 빛나고 있던 노트북 화면을 덮고 갑갑하게 한

쪽 눈을 가린 안대를 잠시 벗어두었다. 햇빛을 두텁게 가리고 있던 암막 커튼을 확 걷어 냈다. 8월, 무더운 여름날 정오를 지나가는 햇살이 따가울 정도로 동공에 내리쬔다. 습관처럼 담배 한 대를 꺼내 물고 필터 사이의 캡슐을 깨트린 입술과 코끝 사이에 달큰하면서 맵싸한 멘톨향이 올라왔다. 창가에 기대어 뿌옇게 내뱉은 연기가 이내 저 멀리 층층이 쌓인 적란운에 겹쳐 흐려진다. 도시 숲 사이로 불어오는 습한 바람이 곧 비가 올 것이라 알려주는 듯 머리칼을 스쳐 지나갔다. 나 스스로가 그토록 원했던 밤공기의 서늘함, 침묵에 잠겨 있는 세상과 반대로 창가 아래 보이는 세상은 소란스럽고 뜨거웠으며, 분주했다.

유리 사막

임유리

임유리   삶을 그냥 흘려보내기가 아까워 글을 쓰기 시작했습니다. 아주 단순하
고 가벼울지라도 기록된 순간이 가져다줄 행복을 알기에 글쓰기를 게
을리하지 않으려 부단히 노력 중입니다. 그렇기에 스쳐 지나는 흔한 것
들도 가벼이 지나치지 않으려 순간에 머물며, 사랑하며 살아가고 있습
니다.

blog : https://blog.naver.com/im_happyul

"사막을 횡단하려면 작은 걸음들이 수백만 번 필요하다."*
_라인홀트 메스너

  꽃 같은 청춘과 같이 청춘을 풀이하는 데엔 아름다운 단어들이 사용된다. 빛나고 찬란해야 할 인생의 젊은 시절이 누군가에겐 나 홀로 서 있는 거친 사막과 같다면 얼마나 가엾고 외로운 일일까? 나는 세계적인 등반가 라인홀트 메스너가 한 말을 읽으며, 지난 시간이 주마등처럼 스쳐 지나갔다. 얼굴도 생애도 잘 알지 못하는 누군가에게 공허했던 청춘을 위로받는 것만 같은 묘한 감정을 느낌과 동시에 푸릇푸릇한 봄날 같아야 할 시절을 메마르게 흘려보낸 것만 같은 자기연민에 빠지기도 했다. 비록 사막은 고사하고 근처에도 가보진 못했지

* 라인홀트 메스너, 《〈내 안의 사막, 고비를 건너다》》,황금나침반, (2006)

만, 그보다 더 외롭고 힘겨운 곳을 서 있었으니 이만하면 다녀온 것으로 합리화해도 됐었다. 걸음마다 나를 누르는 무게들만큼 모래 속으로 푹푹 빠져드는 발. 신발을 신어도 알알이 괴롭히는 모래의 까끌거림이 성가시어 그렇다고 신발을 벗어 던지자니 태양이 데워놓은 뜨거운 모래 때문에 어쩌지도 못하는 그림이 그려졌다. 그러다 밤이 찾아오면 익숙해지지 않는 추위를 이번엔 어떻게 견뎌내야 할까 전전긍긍이었다. 나의 사막엔 반짝이는 은하수 같은 건 없었고, 온통 모래뿐이라 도착점도 보이지 않았다. 숨통을 겨우 붙잡고 눈앞에 오아시스를 만나 쉬어 가려고 하면 그건 신기루에 불과했다. 어차피 사라질 거였으면 나타나지도 않았으면 했다. 희망이란 가면을 쓴 채 다가오는 불행과 실망이 나를 더 처참하게 만들었다. 그렇게 그동안 걸어왔던 나의 걸음은 더디었고 불안했다. 그 종종걸음에 지쳐 언젠가 사막과도 같은 이 길을 끝내고자 제 갈 길 바쁘게 자동차들이 달리는 차도로 발걸음이 향한 날이 있었다.

그날은 유난히도 달이 밝았다. 꼭 나를 바라보고 있는 것만 같은 커다란 보름달과 함께 세차게 달리는 자동차 라이트들이 이따금 내 눈을 부시게 했다. 그때의 난 저 달에 가닿을 수만 있다면 어떤 것도 두렵지 않을 것 같았다. 그곳엔 내가 사랑하는 아버지, 나를 사랑했던 할머니가 계시기 때문이었다.

불원의 사막

비탈길을 따라 핸들을 현란하게 돌려대며 우거진 나무들 밑을 달린다. 침침한 길을 달리며 실의에 빠져갈 무렵 나무 틈 사이로 들어오는 햇볕에 이내 정신을 차린다. 그늘과 햇볕을 오가며 비탈길을 오르다 보면 원색의 꽃들이 전시된 트럭이 군데군데 세워져 있다. 왠지 마지막일 것 같은 트럭 앞에 잠시 차를 세우면 그곳을 지키던 아주머니가 가벼운 묵념을 건넨다. 죽어있는 조화에는 눈길조차 주지 않고 생생히 피어 있는 꽃 중 그래도 제일 때깔 좋고 비싼 꽃을 골라 돌아가는 내 등을 향해 아주머니는 "잘 다녀오세요." 하고 인사를 건넨다. 아주 가고 싶어 안달 나 있던 속내를 들켜버린 것 같아 괜히 제 발 저리고는 다시 차에 올라 목적지로 향한다.

생화 한 아름 안고서 조심스레 도착한 이곳에선 향냄새가 코를 메우고, 트럭에 나열되어 있던 형형색색의 꽃들이 헌화대에 놓여 있다. 귀천한 넋이 무성한 곳에서 이 꽃들만이 제 생명을 유지하고 있다. 벌써부터 시려 오는 코끝을 매만지며 한 계단 한 계단 올라 익숙한 걸음을 옮긴다. 좁은 사물함들이 빽빽하게 온 사방에 진열되어 있다. 굳게 닫힌 사물함 속에는 생과 사의 경계를 기어코 넘어선 망자들의 희비애환이 보이지 않아도 보였다. 일정한 사물함 중 오른쪽 맨 밑 구석에 자리하신 우리 아버지. 쭈그려 앉아야만 보이는 아버지의 사진과 위패. 이 좁은 곳에서 꽤 오랫동안 큰 체구와 무거운 삶들이 방치된 것만 같아 시려진 눈에서 쏟아지는 뜨겁고 투명한 액체가 끝없이 뺨을 타고 흘러내린다. 위패를 모시고 제례실로 들어가 간단한 요깃거리와 살아생전 제일 좋아하신 약주 하나를 두고 한참을 앉아 고단했던 아버지의 삶을 그려본다. 고요한 공기를 따라 향 끝에서 피어오르는 하얀 연기가 꼭 아버지의 혼인 것만 같다. 길게 피어오르는 향 연기처럼 아버지의 생애도 그랬다면 어땠을까? 문득 위패에 적힌 1964년~2007년이라는 짧은 생애의 시간이 눈에 들어와 가슴이 미어진다. 아버지의 황혼을 함께할 줄 알았던 어릴 적 생각은 가련하게도 빗나갔고, 43년이라는 짧은 생애를 마치고 아버지는 불귀의 길에 오르셨다. 다시는 돌아오지 않을 아버지를 두고 사람들의 입에서 하나같이 나오는 말들이 있었다.

"원래 하늘도, 착한 사람은 필요해서 일찍 데려가는 거래. 너희 아빠도 그래서 그랬는가 보다."

고개를 떨궈 꺽꺽대며 울고 있는 나를 위로한답시고 하는 말이었겠지만, 아버지를 향한 감회에 무게를 실어주는 말이라 더 고통스러웠다. 정말이지 하늘은 가족으로 인해 고통받는 아버지를 가만히 두고 볼 수만은 없어 보란 듯이 데리고 간 것만 같았다. 더군다나 어질고 선한 아버지에게 모질기만 했던 우리 가족이었기에 그 말이 더 가슴을 파고들었다.

아버지는 유난히도 딸을 사랑했다. 딸 앞에서 아버지는 빨간 홍조를 띈 광대가 내려가는 일이 없었다. 짓궂은 미소를 지으며 성큼성큼 다가와 늘 애정어린 장난을 쳤고, 주말이면 가족과 함께 하는 시간에 늘 최선을 다했다. 그런 아버지 덕분에 봄에는 어여쁜 꽃들 사이에서, 여름에는 시원한 계곡과 풀 내음이 가득한 곳에서, 가을에는 세상을 아름답게 물들이는 단풍들과 겨울에는 하얀 낭만 속에서 자아의 밑바탕을 만들 수 있었다. 엄격했던 어머니를 피해 자주 기대고 울었던 곳 또한 아버지의 등이었다. 슬프고 무서운 감정을 숨겨야 할 때면 단단한 나무처럼 묵묵히 등을 내주시곤 했다.

언젠가 어머니의 실수로 가세가 기울어 온 집안에 빨간 딱지가 붙은 적이 있었다. 그 고난 앞에서마저도 화 한 번 내지 않고 집을 일으키기 위해 오롯이 일에 매달렸으니 과히 아버지는 우러러볼 수밖에 없는 동경의 대상이었다. 그랬던 아버지가 딱 한 번 일을 뒤로 한 채 고통을 호소하며 당신 몸을 챙기던 날이 있었는데, 그날로부터 원하지 않은 황폐한 사막이 시작되어 버렸다.

일에만 몰두한 탓에 제 몸 하나 시들어가는 줄 모르셨던 아버지는 결국 위암 말기라는 시한부 인생을 판정받았다. 병원에서 정해놓은 예상 수명시간은 6개월 남짓이었다. 하지만 아버지는 늘 그랬듯 담담하게 현실을 받아들였다. 시한부 인생은 항암치료를 위한 입원과 퇴원의 반복뿐인 지긋지긋한 기계적인 삶이었다. 독한 약들을 힘든 내색 없이 다 받아내며 과연 그때의 아버지는 어떤 심정이었을까? 곧은 의지 덕분인지 아버지는 치료를 잘 버텨내며 평소와 다름없이 생활했다. 비록 한계를 앞둔 환자이지만 학교를 마치면 집에 아버지가 계신다는 사실에 의지가 되기도 했다. 한편 어머니는 아버지의 길어지는 항암치료를 환자 본인보다 더 지쳐하는 것만 같았다. 아버지가 숨을 붙들고 있을 수록 어머니의 말투와 태도는 거칠어지기 시작했다. 아버지의 무능함을 탓하기 시작했고, 그럴 때마다 아버지의 어깨는 보이지 않게 움츠러들었다.

하루는 어머니께서 부산에 다녀올 일이 있다며 함께 가자고 했다. 오랜만의 외출이라 설레는 마음을 안고 동행 길에 올랐다. 그렇게 도착한 곳은 한적한 어느 작은 절이었다. 절을 구경할 새도 없이 화려한 옷을 입은 무당이 나를 아는 체하며 절 안으로 들어왔다. 무당은 깃발을 들고 제자리에서 날뛰기 시작했다. 어머니는 두 손을 모은 채 무당을 향해 연신 기도를 하고 있었다. 영문도 모른 채 나는 이 상황을 이해하기 위해 애를 써야만 했다. 귀를 파고들어 머리까지 울려대는 징 소리와 어머니와 나를 향해 소금과 막걸리를 뿌려대며 지르는 무당의 비명이 공포로 다가왔다. 커다란 신칼을 꼭 나를 벨 것만 같이 휘둘러대기도 했다. 겨우 중학생이었던 나는 처음 보고 느끼는 광경에 잔뜩 겁에 질린 채 이 시간이 빨리 끝나기만을 기다렸다. 정신없는 시간을 보내고 돌아오는 버스 안에서 어머니께 어렵게 말문을 떼어 상황을 여쭈어보았다.

"굿이다… 아빠… 어차피 시한부 인생 이니까… 더 이상 힘들어하지 않고 그냥 편안하게 빨리 가시라고…"

흐릿한 말끝에 숨겨진 굿의 의도를 짐작할 수 있었다. 그 순간 무당을 향해 두 손이 닳도록 기도하던 어머니의 모습이 스쳐 지나갔다. 나는 어머니의 얼굴을 똑바로 응시하며 어떤 말도 할 수 없었고, 안으론 요란스러운 떨림이 온몸을 지배하고 있었다. 꿀렁대는 버스의 움직임과 쾌쾌한 커튼 냄새에 속이 울렁거리고 나를 꾹 눌러놓는 알 수 없는 것으로부터 신물이 올라올 것만 같았다. 당연하게도 굿의 효력은 없었다. 그럴수록 어머니의 불만은 잦아졌고, 누구에게도 말할 수 없었던 그날의 충격은 무거운 죄책감으로 자리를 잡았다. 그때부터 난 아버지의 노고를 기억하며 삶을 들여다보려 애썼다. 그것만이 내가 최선으로 할 수 있는 유일한 면죄부였다. 하지만 하늘은 용서받을 기회조차 주지 않으려 했다. 새벽이면 욕실을 향해 달려가는 아버지의 발망치 소리와 와락 쏟아 내는 구토 소리가 잦아졌고, 삶에 대한 의지만큼이나 암세포는 빠르게 퍼져갔다. 치료에 의해 듬성듬성 빠지는 머리카락과 앙상하게 뼈만 남고 늘어진 피부 가죽이 사막 한가운데 휘몰아칠 모래 폭풍을 암시하고 있었다.

매미 소리가 귀가 따갑게 울어대고 습기가 온몸을 감싸는 어느 무더운 여름날, 여느 때와 다름없이 아버지는 항암치료를 위해 입원을 해야 했다. 그날은 늘 챙기던 소지품을 챙기지도 않은 채 병원으로 향하려 했다. 굳게 다문 입술로 건조하게 집 안을 둘러보시고는 집을 나섰다. 딱히 따뜻한 안식처도 아니었을 텐데 무엇을 마지막으로 마음에 담으려 하셨던 걸까. 그렇게 아버지는 영영 우리집으로 돌아오지 않았다. 아버지의 임종을 지키는 동안 의사는 우리 가족들에게 마지막으로 하고 싶은 말을 전할 시간을 주었다. 하지만 옆에서 크게 울어대는 어머니의 곡소리에 진절머리가 나 그만 귀를 막고 아무 말도 하지 못했다. 많은 말들을 설명할 말주변도 없었고, 누군가를 향한 가증스러움에 온몸에 올라온 소름을 잠재우느라 차마 하지 못한 말들이 한동안 내 마음을 괴롭히기도 했다.

아버지, 본디 인연이란 전생에 연이 닿으면 만나게 되는 것이라 한다는데, 우리는 전생에 잠시 스쳐 지나가는 사이일 뿐이었을까요? 평생 가족을 위해 희생하신 아버지를 향해 감사하단 인사조차 하지 못했습니다. 마지막 귀가 열려있을 때 해야 할 말을 하지 못한 것이 아직도 한이 됩니다. 흔한 사랑한다는 말 한마디도 사춘기의 낯간지러움을 이기지 못했고, 죄송하다는 말은 더욱이 할 수 없었습니다. 화장을 끝내고 나온 하얀 백골을 통해 그제야 아버지가 꾹 눌러왔던 인고의 무게를 알게 되었습니다. 굳게 다문 입술 안에서 어금니를 꽉 깨물다 삐뚤어진 턱뼈가 삶의 고통을 견뎌내려던 아버지를 표상하고 있었습니다. 그 모습이 잔흔으로 남아 아버지를 향한 후회에 몸서리치

기도 했습니다. 죄송합니다. 정말 죄송합니다. 그저 죄송한 마음뿐입니다.

며칠 만에 돌아간 집 안엔 찬 공기가 가득했다. 나는 이제 어떤 마음으로 이곳을 지내야 할 지 혼란스러웠다. 특히 어머니 앞에선 눈물을 들키고 싶지 않았고 숨어서 소리 내지 않고 울며 마음을 추슬러야 했다. 그런 딸이 안쓰러웠는지 하루는 꿈에 아버지가 찾아왔다. 연분홍 카라 셔츠를 입고선 대문으로 들어서 나를 향해 미소를 짓고 있었다. 아빠— 하고 반갑게 달려간 나를 향해 온화한 미소를 보이고는 가야 할 때가 된 것만 같이 다시 말없이 대문 밖을 나서려 했다. 나는 그런 아버지를 따르려 했지만, 아버지는 손으로 날 막아섰고, 처음 그대로의 미소를 유지한 채 유유히 사라졌다. 그 꿈을 마지막으로 아버지는 어떠한 모습으로도 나에게 찾아오지 않았다. 나는 그날 아버지를 따라가지 않았던 나 자신을 향한 원망과 다 괜찮다며 짓는 평온한 미소에 헤어 나오지 못한 채 꽤 오랫동안 허둥거렸다.

사막화

아버지가 떠나신 후 우리 가족은 철저히 붕괴되었다. 어머니의 재혼으로 지옥 같은 고등학교 시절을 보내야 했고, 성인이 되자마자 나는 외할머니집으로 떠넘겨졌다. 하나뿐인 형제, 오빠마저도 일찌감치 가정의 재기에 불가능을 느끼고 제 갈 길을 찾아 떠나 버렸다. 아버지 이후 어른의 온전한 사랑을 받지 못해 피폐해진 내 삶에 생기를 다시 불어넣은 건 할머니의 사랑이었다. 《법정의 얼굴들》의 저자 박주영 판사는 말했다. "숱한 조손가정을 보며 할머니는 엄마보다 만 배쯤 강화된 버전의 그냥 엄마였다. 한 가지 안타까웠던 건 할머니의 배터리 잔량이 얼마 남지 않았다는 점이었다."* 라고. 우리 할머니도 그랬다. 할머니는 나의 20대 전반을 꾸며주었고, 사막에서 허둥대고 있는 나를 다시 일으켜주었다. 스무 살이 되어 파릇파릇한 대학생이 된 나는 학교 근처 작은 고시텔에서 생활하며 불현듯 인생의 회한에 빠지게 되었는데, 그때 난생처음 우울이라는 무시무시한 괴물을 마음에 들이게 되었다. 아마 할머니의 보살핌이 없었다면 나는 생사의 기로에서 꽤 자주 비틀거렸을 것 같다. 할머니는 그런 나를 어린아이처럼 가여워했다. 성인이 되었더라도 나는 할머니 앞에선 작은 꼬마에 불과했고, 나를 향하는 할머니의 시선은 변함없었다.

휴일이 되면 할머니의 온기가 가득한 곳으로 가 늘어지게 잠만 잤다. 눈을 뜨면 커져가는 내 마음의 괴물에 잡아먹힐 것 같은 두려움과 완전히 채워지지 않은 공허함 때문에 깨어 있는 시간이 짧을수록 좋

---

* 박주영, 《법정의 얼굴들》, 모로 (2021)

았다. 할머니는 그런 내면을 다 꿰뚫고 있는 듯 해가 중천이 되도록 자는 나를 한 번도 깨운 적이 없었다. 잠을 자는 내 옆에 앉아 아무 말 없이 한참을 바라보다 가곤 했는데, 그걸 알면서도 나는 그 안온한 시선이 좋아 일부러 깨지 않은 척 눈을 감고 있었다. 금방이라도 꺼질 것 같은 삶의 불씨에 할머니는 나 모르게 열심히 입김을 불고 있었던 것이다. 그렇게 늘어진 잠에서 깨고 나면 부엌엔 나를 위한 한 상이 늘 차려져 있었다. 이른 아침 텃밭에서 갓 따온 싱싱한 채소들과 금방 닭장 속에서 꺼내온 계란으로 부친 프라이는 꼭 들어가는 메인 메뉴 였다. 할머니 집이 있는 시골스러운 이 동네에는 애정어린 관심과 안 부를 쏟아내는 이웃 할머니들이 항상 나를 반겨주었고, 매일 아침 깊 은 단잠을 깨우며 지저귀는 새소리와 밭을 가꾸는 사람들의 느긋하 고 여유로운 모습은 외롭고 깜깜한 내 마음을 조금씩 밝혀주었다.

하루는 문득 어머니를 뵙고 싶은 마음에 어머니가 살고 있는 곳에 다녀온 적이 있었다. 그곳엔 어머니의 재혼 상대와 함께 새로운 가정 이라는 울타리에서 탄생한 어머니의 또 다른 어린 자식이 살고 있었 다. 즉 나의 이복동생이었다. 자식들의 삶보단 당신의 삶을 앞서 생각 하기 바빴던 어머니는 본인의 욕심만큼 멋들어지게 잘 살진 못했다. 못 본 사이에 짙어진 주름살과 미간에 그어진 세로줄들이 그곳의 생 활을 나타내고 있었다. 어머니는 오랜만에 본 나를 거실에 앉히고는 복숭아 두어 개를 내오셨는데 나는 어색한 침묵 속에서 애꿎은 손톱 만 만지작댔다. 어렵게 포크를 들어 복숭아 하나를 집어 천천히 입안으로 넣었다. 사각사각 씹히는 소리와 꼴깍 목 너머로 복숭아가 넘어가는 소리만이 어색한 정적을 깨우고 있었다. 그러던 중 어머니는 접시에 담긴 몇 안 되는 복숭아를 마치 내가 다 먹을세라 아까운 듯 어린 자식 입에 쉴 틈 없이 밀어 넣기도 했는데, 복숭아 그까짓 게 뭐라고 설움이 북받쳐 올라왔다. 나는 그 뒤로 그만 포크를 내려놓고 숨막히는 정적 속에서 도망치듯 나와야 했다. 사실 복숭아 하나만의 문제가 아니었다. 마음 깊은 곳에 쌓여 있던 어머니에 대한 애증이 뒤엉켜 감정을 주체할 수 없었다. 당최 어릴 적 함께 했던 나의 어머니는 어디에 있으며, 누구였던가 혼란스럽기만 했다. 그날 나는 서러운 마음을 달래기 위해 할머니 집으로 향했다. 할머니의 얼굴을 보자 울컥하고 눈물이 차올랐다. 할머니는 아이처럼 엉엉 울어대며 설움을 토해내는 나를 말없이 지켜보다 어머니에게 전화를 걸어 득달같이 화를 냈다. 제 가슴을 쾅쾅 치며 어떻게 같은 자식인데 그럴 수 있냐며 화를 내는 모습에 되레 당황한 나는 울음을 그치고 슬며시 할머니의 옷자락을 붙잡았다. 어머니는 당신 자식이었을 텐데 그런 건 안중에도 없어 보였다. 그날 이후로 난 며칠을 지겹도록 복숭아를 먹어야만 했다. 순수하고 천연한 사랑이었다. 할머니의 올곧은 사랑은 실로 굉장했다. 고작 운전면허 시험에 합격했다는 소식에 기뻐하며 울기도 하고, 대통령 선거 당시 어떤 후보를 응원하냐는 나의 물음에 앞으로 너희들이 살아갈 세상이 더 중요하다면서 오히려 내가 응원하는 후보가 누구인지 되묻기도 하며 일상에 잔잔한 감동을 주었다. 할머니의 온 신경세포가 꼭 나만을 향하고 있는 느낌에 공허했던 마음이 매일 같이 채워져 갔다. 그런 할머니를 보며 내리사랑은 과연 어떤 것에서 비롯될 수 있는 것일지 궁금해지곤 했다. 내 자식이 버린 손녀를 아무 조건 없이 사랑할 수 있다는 건 책임감과 같은 간단한 단어로 설명할 수 있는 문장이 아니었으니까.

어느 날, 평소처럼 잠을 청하던 나는 귓가를 스치는 한숨 소리에 눈이 떠졌다. 서늘한 공기가 창가 너머로 코를 간지럽히고 귀뚜라미 소리가 서글프게 우는 새벽이었다. 한숨 소리의 주인공은 다름 아닌 할머니였다. 빼꼼히 열린 방문 사이로 마루를 보니 굽은 등을 펴지도 못한 채 앉아서는 연신 한숨만 푹푹 쉬고 있었다. 그 후 나는 꽤 자주 그 시간 그곳에서 할머니의 뒷모습과 마주해야 했다. 무엇으로 인한 한숨이었는지 듣지 않아도 알 수 있었다. 아마 훨씬 오래전부터 자식 걱정으로 밤을 지새우는 날이 반복되었을 것이란 생각에 가슴이 미어질 듯했다. 할머니로 인해 살아나는 내 불씨만 신경 쓰느라 닳아가는 할머니의 배터리를 알아차리지 못했던 것이다.

시간이 흘러 나는 어엿한 직장인이 되었고 할머니 집을 아주 떠나 타지 생활을 해야 했다. 직장생활이 바빠져 예전처럼 할머니를 자주 뵙지 못했는데, 사실 더 이상 나라는 짐을 이게 하고 싶지 않은 마음이 자주 뵙지 못한 큰 이유였다. 그러다 문득 할머니를 뵈러 갈 때면 느리게 흐르는 내 시간과는 반대로 할머니의 시간은 속절없이 빠르게 흐르고 있었다. 그럴 때마다 나는 또 이별이 찾아올까 두려웠고,

그 두려움은 또 다른 이유가 되었다. 할머니의 배터리는 생각보다 빨리 닳아 가고 있었다. 언젠가 눈이 침침하다는 이유로 수술을 받기도 했는데 당뇨 합병증이었는지 눈 건강은 호전되지 않았고, 배터리가 다 되어 꺼져버린 스크린처럼 결국 시력을 모두 잃어버리게 되었다. 그때부터 할머니는 삶의 의지를 놓아버렸다. 어차피 앞이 보이지 않는다며 느릿느릿 걷던 걸음마저도 포기해 버리고야 말았다.

"나비처럼 훨훨 날아가고 싶다."

그 후로 할머니는 버릇처럼 이 말만을 몇 번씩 되뇌었다. 그럴 때마다 나는 아무런 대꾸도 하지 못하고 늙고 늘어진 손 가죽을 쓰다듬기만 할 뿐이었다. 할머니는 서지도 앉지도 못한 채 보이지 않는 눈만 끔뻑이며 누워만 계셨다. 병상에 몸을 맡긴 채 아무것도 먹지 못하고 앙상한 팔에 꽂은 수액만으로 삶을 연명하고 있었다.

하루는 퇴근 후에 지친 몸을 이끌고 집으로 와 옷가지도 다 벗지 못한 채 잠이 든 적이 있었다. 등걸잠에 빠져 자는 내 꿈에 할머니가 나타났다. 꿈속에서 할머니는 상다리가 부러질 정도의 진수성찬을 맛있게 드시며 이제 다 괜찮다는 말만 나를 향해 되풀이하고 있었다. 어디가 괜찮은 거냐며 묻는 내 질문에 대답은 하지 않은 채 그저 괜찮다는 말만 반복했다. 서서히 잠에서 깬 나는 울컥 올라오는 불길한 예감에 뜬 눈으로 남은 밤을 지새웠다. 애석하게도 슬픈 예감은 왜 항상 빗나가지 않는 건지 꼬박 밤을 지새워 맞이한 다음 날, 할머니는 결국 내 곁을 떠나 버렸다.

아버지 이후로 유일하게 내 마음을 의지했던 할머니마저 일찍 곁을 떠나자, 하늘이 참 무심하기도 했다. 꼭 내 편을 다 빼앗아 가는 느낌에 자주 울고, 자주 외로웠다. 사랑하는 사람들의 작별 후 자주 무너졌던 내 마음은 결국 나의 사막을 버텨낼 힘을 갉아먹었고, 그렇게 이외로운 사막을 끝낼 극단적이고도 무이한 방법을 선택하기로 결심한 것이다. 그날은 퇴근 후 집으로 돌아가는 늦은 밤이었다. 그날 밤은 마치 온 세상이 다 나를 등지고 있는 것만 같이 아주 외롭고 쓸쓸한 밤이었다. 자동차들이 사납게 지나가는 도로를 옆에 두고 인도 가장자리를 위태롭게 걸었다. 발 하나만 잘못 헛딛어도 내 몸이 고꾸라져 이리저리 내동댕이쳐질 상상을 하며 질끈 눈을 감았다. 몸의 중심을 옆으로 기울여 걸으며 어쩔 수 없이 중심을 잃고 넘어지기만을 바랐지만, 뜻대로 되지 않았다. 솔직히 용기가 없었다. 분명 이 삶을 끝내면 사랑하는 두 사람을 만날 수 있을 것 같았지만 덜컥 겁이 났다. 그러다 질끈 감은 눈을 떴는데 보름달 하나가 마치 내 눈앞에 있는 것처럼 날 비추고 있었다. 내 발걸음은 생각만큼 무모하지 못했고 나는 집 앞 모퉁이에서 한참을 목 놓아 울기만 했다. 가로등 불빛만이 움츠러진 내 등을 처연하게 비추고 있었다.

자주 무너져 죽으려 했던 나는 무모한 선택조차 실행할 수 없는 비굴한 이면을 알게 되고, 그냥 일단 살아가 보기로 했다. 아버지가 만들어준 밑바탕을 발판 삼아 할머니로부터 살려낸 삶의 불씨로 다시금 살아가기 위해 분투했다. 이 사막을 어쩔 수 없는 숙명으로 받아들이고, 그 안에서 나름의 아름다움과 여유를 찾아보기로 했다. 일부러 고개를 들어 밤하늘의 별들을 세어보기도 하고, 햇빛 아래 황금같이 반짝이는 모래들을 끌어안아 보기도 했다. 일탈을 꿈꾸며 내 주변의 것들에 관심을 가지며 아끼고 정돈했다. 그러다 보니 온통 모래뿐이던 사막에 어렴풋이 끝이 보이기 시작했다. 끝을 향해 안주하지 않고 헤쳐 나가 드디어 사막의 끝에 다다를 수 있게 되었는데, 단 한 발짝만을 남긴 채 나는 머뭇거릴 수밖에 없었다. 모래를 뚫고 내 발목을 잡는 무언가가 자꾸 지나온 사막을 뒤돌아보게 했다.

사막의 종말

나에겐 아주 특별한 단어가 있다. 특별해서 좋은 게 아니라 싫은 단어. 세상을 아름답게 표현하려면 아마 꽃, 사랑, 햇살, 희망과같이 온통 따뜻한 느낌의 단어들이 사용될 것이다. 내 삶도 이런 아름답기만한 단어들로 표현될 수 있다면 좋겠지만 특별한 딱 하나의 단어 때문에 그 바람은 헛된 꿈으로 남겨두어야 했다. 특별해서 싫은 딱 하나의 단어는 바로 '아저씨' 였다. 아저씨라는 단어는 다른 사람들에게는 어떤 느낌으로 해석될까? 나에게 아저씨라는 단어는 말조차도 꺼내기 싫은 경멸과 해악의 느낌을 준다. 한때 내가 제일 싫어했던 책은 키다리 아저씨였고, 인기리에 반영했던 나의 아저씨라는 드라마는 제목만으로도 보기를 꺼렸다. 이렇게 일종의 트라우마처럼 그 의미가 퇴색해 버린 이유는 나에게 있어 아저씨의 주인공은 어머니의 재혼 상대였기 때문이다. 아버지의 작고로 인해 시작된 나의 사막에 모래 지옥을 만들어 더 헤어 나오지 못하도록 한 건 어머니의 재혼이었다. 그로 인해 나의 고등학교 시절은 아픈 방황의 연속이었다.

갖가지 달콤한 말로 어머니를 꼬드겨 우리 집으로 들어오게 된 아저씨는 머지않아 본색을 드러내기 시작했다. 직장은 나가지 않은 채 끊임없이 어머니에게 돈을 요구했고, 밤이 늦도록 매일 같이 술을 마셔댔다. 술기운이 오를수록 오늘 밤은 제발 무사히 저물어가기를 기도하며 벌벌 떨어야 했고, 눈을 뜨면 긴장된 공기로 아침을 맞이해야 했다. 어머니의 고함과 우당탕 물건이 던져지고 부서지는 소리가 들릴 때면 내 방 안 구석에서 가만히 숨을 죽여야만 했다. 내가 고등학교 3학년이 되자 가정에 환멸을 느낀 오빠는 일찌감치 대학을 핑계로 집을 떠났고, 난 홀로 남겨진 채 외로운 공포와 싸워야 했다.

3학년 수능이 끝날 무렵, 잠에서 깬 나는 오랜만에 고요한 아침을 맞이했다. 고요하기만 해 되레 무서웠던 나는 슬며시 거실로 나가 탁자에 놓인 작은 편지 하나를 발견하게 되었다. 편지에는 어머니가 떨리는 손으로 적은 삐뚤빼뚤한 글이 적혀 있었다. 대충 이 생활을 견디기 힘드니 집을 나가겠다는 내용이었다. 이 계기로 나는 할머니 집으로 떠넘겨지게 된 것이다. 할머니의 온전한 사랑을 받으며 평안해지는 동안 어머니는 집으로 돌아가 다시 아저씨와 합가하는 그릇된 선택을 했다. 아마 집을 나가기 전 갓 태어난 나의 이복동생이 폭력과 학대에 그대로 노출되는 것을 두고 볼 수만은 없었기에 선택한 어쩔 수 없는 결단이었을 것이다. 안타깝게도 아저씨에겐 환골탈태와 같은 기적은 일어나지 않았다. 아저씨의 횡포는 날이 갈수록 더 심해지는 듯했다. 다만 내가 그곳에 없다는 것이 조금 위안이 되었다. 내가 할머니의 사랑을 받으며 살아나는 동안 곤고한 생활을 지속하던 어머니의 영혼은 공포에 길들여지며 메말라가고 있었다.

사랑하는 사람들이 다 떠나간 후에 처절한 노력으로 어느 정도 삶의 의지를 찾은 나는 그제야 어머니의 처지가 눈에 밟히기 시작했다. 그럴 때마다 들린 어머니의 집 마당엔 늘 초록색 병들이 나열되어 있었고, 그 중 깨진 파편들은 어머니가 한 곳에 가지런히 치워놓은 듯 보였다. 가전이나 벽 군데군데는 성한 곳이 없었으며, 아저씨가 지내는 방 안에는 늘 알코올로 찌든 냄새가 가득했다. 이곳을 진작에 벗어나지 못하는 어머니가 도무지 이해되지 않았다. 폭력에 노출되어 무수히 가스라이팅을 받아온 사람들에게는 무엇 하나 어떤 것도 자유롭게 선택할 수 없음을 그땐 잘 알지 못했던 것 같다. 하지만 내가 아니라면 누구에게도 인정받고 이해받는 삶이 아니기에 그냥 어머니를 떠나 한 여자의 인생을 온 힘을 다해 이해해 보려 노력했다. 이 노력이 내가 사막을 자꾸 뒤돌아보게 만드는 이유였고, 이것은 곧 아버지가 일궈낸 가정이라는 든든한 울타리를 다시 만들고 싶은 갈망이기도 했다. 이 갈망을 현실로 이루기 위해 내게 할머니가 그랬듯 이번엔 내가 어머니를 구해내야겠다는 결심을 하게 되었다. 아저씨의 잘못은 가능한 대로 사진과 녹음을 비롯한 기록으로 남기며 만반의 준비를 했다. 또 다른 방편으론 자주 어머니를 찾아뵈며 이야기를 듣고, 울타리에 갇혀 더 나가보지 못한 세상을 함께 다니기도 했다. 그러다 문득 궁금했지만 따져 묻지 못했던 가슴 속 질문을 꺼내보기도 했다. 그동안 왜 그런 선택을 할 수밖에 없었는지에 대한 이유를 물어보았는데 어머니는 그저 후회뿐인 대답만 할 뿐이었다. 그래도 다행히 어머니는 점점 당신의 삶에서 잘못된 점을 알아차리는 듯했다. 아저씨가 행사하고 있는 힘은 비열하고 잘못된 것임을 알게 되며 메말라가던 영혼을 깨워 다시금 제 삶을 찾아가기 시작했다. 나는 폭력에 노출된 가정은 없어지는 게 천배 만배는 낫다고 생각했다. 그 생각이 언젠가 현실로 이루어지길 고대하면서.

그러던 어느 날 실로 바라던 일이 일어나버렸다. 늦은 밤 어머니로부터 도와달라는 급한 문자를 받게 되었다. 나는 어머니의 집으로 부리나케 달려갔고, 그곳에서 경찰들과 실랑이를 벌이고 있는 아저씨와 마주하게 되었다. 그때 아저씨를 향해 참아왔던 독기 가득한 모진 말들을 내뱉으며 어머니를 지옥과 같은 가정에서 탈출시켰다. 그날 이후 어머니는 이복동생을 데리고 적절한 조치가 내려질 때까지 내

자취방에서 함께 생활하게 되었다. 그들과 함께 지내며 나는 그동안 기록한 것들을 통해 아저씨의 잘못을 낱낱이 드러내며 응당한 단죄가 내려지기를 기다렸다. 각종 매체에서 나오는 전형적인 가정폭력범처럼 변명을 둘러대며 용서를 구해왔지만, 그럴 때마다 단호하게 답장을 대신하며 흔들리는 어머니를 붙잡았다. 하지만 가정폭력으로 인한 처벌과 피해자들의 구원 절차는 생각만큼 쉽진 않았다. 그 과정은 꽤 더디었고, 피해자들은 고통스러운 인내를 고스란히 감수해야 했다.

그렇게 한 달 정도의 시간이 흘렀을까. 그날은 습기를 머금은 더위에 불쾌지수가 잔뜩 올라가 있는 여름날이었다. 나는 평소와 다름없는 하루를 마무리하고 고단함에 머리를 대자 마자 단잠에 빠져들었다. 그날 밤, 양복을 단정하게 차려입은 아저씨가 불쑥 찾아왔다. 나는 아저씨를 향해 인상을 찌푸리며 이제 제발 가라며 있는 힘껏 다그쳤다. 그러자 아저씨는 멋쩍은 듯 웃으며 웬일로 쉽게 내 눈앞에서 사라졌다. 꿈이었다. 놀라 잠에서 번뜩이며 깬 나는 놀란 가슴을 우선 진정시켰다. 서늘한 에어컨 바람에 펄럭이는 암막 커튼 사이로 얇은 햇빛 한줄기가 들어왔고, 고요한 적막만이 흘렀다. 그 순간 내 이름을 부르며 울부짖는 어머니의 목소리가 적막을 깨고 들려왔다. 심장이 다시 요란스럽게 쿵쾅대기 시작했다. 몸을 일으켜 방문을 여니 어머니는 휴대전화를 붙잡고 발을 동동 구르고 있었다. 경찰서로부터 전해온 아저씨의 부고 소식이었다. 수습을 위해 어머니와 함께 안내

받은 병원으로 향했다. 운전을 해서 병원으로 향하는 동안 내 두 뺨을 타고 눈물이 후드득 흘러내렸다. 갑작스러운 눈물에 당황한 나는 차에 탄 어느 사람에게도 들키고 싶지 않아 황급히 눈물을 훔쳐냈지만 속수무책이었다. 눈치 없는 눈물은 멈출 생각이 티끌만큼도 없었다. 어떠한 해방감 같은 건 아니었다. 그냥 그 순간 나는 한 사람의 운명을 가엽게 여기고 있었다. 동네 구석에 위치한 주인도 모를 텃밭 오두막에서, 다 타 버린 담배 한 개비와 텅 비어 버린 담뱃갑만을 가지런히 둔 채 밧줄 하나로 끊어낸 비운의 운명을.

스스로 목숨을 꺾는다는 것이 얼마나 어렵고 무모한지를 잘 알기에 더욱 이 마음을 형용할 길이 없었다. 결국 피해자들만 덩그러니 남긴 채 무책임한 선택을 한 그의 죽음은 어떤 이 하나 진실되게 슬퍼하지 않았다. 그리고 치열했던 나의 사막은 이렇게 끝이 났다.

지난날들을 삭막했던 사막에 비유하며 나는 스스로를 비운의 주인공으로 낙인찍어 왔다. 주어진 현실을 해결하기에만 급급해 살아오는 동안 내 청춘이 낭비되는 것만 같은 느낌에 슬픈 심연에서 좀처럼 벗어나지 못했다. 내가 꿈꾸던 이상과 현실의 괴리를 받아들이지 못하며 사막과도 같았던 삶 속에서 나는 가시를 단단하게 세운 선인장이 될 수밖에 없었고, 그래도 성숙을 자부하며 인생 하나쯤이야 잘 살줄 알았지만 나도 인생은 처음이라 늘 실수투성이였다. 하지만 나의 사막을 이루고 있던 각기 다른 삶과 죽음을 통해 유한하기만 한 삶에서 어떠한 마음으로 살아야 하는 지를 배울 수 있었다. 비록 그 대가가 나에겐 아주 혹독했지만, 어차피 다 지나온 길에 미련을 두지 않기로 했다. 가족을 위해 한 평생을 덤덤한 희생만으로 살아온 아버지에게서 묵직한 책임감을 배웠고, 지금쯤 세상을 유영하는 나비가 되어 있을 할머니는 소중한 사람들에게 온 마음을 다해 기꺼이 사랑을 내어주는 방법을 알려주었다. 그리고 온 생을 비난받던 대상일지라도 결국 죽음 앞에선 숙연해질 수밖에 없던 것을 상기하며 내 주변을 더 사랑하며 잠시 주춤했던 하나뿐인 청춘을 다시 살아보려 한다.

우연히 길을 지나다 촘촘한 가시를 세우며 고고한 자세를 뽐내고 있는 선인장 하나가 눈에 들어왔다. 괜한 반가움에 홀린 듯 선인장을 구입해 집으로 들인 적이 있었는데, 그러다 알게 된 몇 가지 정보가 새삼 떠오른다. 선인장은 사막을 견디기 위해 줄기에 물을 저장하고 적정 시기에 화려한 꽃을 피워낸다. 그리고 꽃을 통해 날아든 새에게 꿀을 제공하고, 물이 저장된 줄기는 동물에게 귀한 수분 공급원이 되어준다. 뿐만 아니라 작은 새들이 둥지를 짓도록 자기 몸을 내어주기도 하며 제 몸을 크게 키워 만든 그늘에서는 동물들이 쉬어 갈 자리도 마련해준다. 이런 점들을 새로이 알게 되며 나는 선인장을 더 예뻐할 수밖에 없었다. 그는 곧 지금껏 인생 사막을 잘 버텨낸 나를 더 사랑할 수밖에 없음을 의미했다. 나 또한 삭막한 삶을 지나오며 웬만한 시련 앞에서도 무던히 잘 견뎌낼 힘과 살아갈 지혜를 얻게 되었으니까. 그리고 생존하며 이로움을 나눠주는 선인장과 같이 어쩌면 나도 그런 영향력을 줄 수 있지 않을까 하는 효능감이 들기도 했다.

　사실 진부하고 우울하기만 한 내 이야기를 집필하며 아주 많은 고민과 변덕을 이겨내야 했다 우리 사회가 정해놓은 천륜과 혈연관계의 보편적인 사고방식에서 벗어나는 이야기임에, 글을 써 내려가는 동안 깜빡이는 커서를 두고 한참을 머뭇거리기도 했다. 하지만 그럼에도 나의 이야기를 보란 듯이 써내려 간 이유는 이젠 그 어느 것에도 속박되지 않고 자유로워지고 싶은 욕구로 인해서이며, 지쳐가면서도 끝끝내 걸어온 이 길이 어느 누군가에겐 공감의 힘이 되 줄 수 있다는 믿음 때문이었다. 완성해 보지도 못한 인생을 타의로 인해 미완성으로 남겨두는 것은 안타까운 일이기에 결국 영원한 고통은 없을뿐더러 힘겹기만 한 세상도 없다는 것과 고고한 자태를 꼿꼿하게 유지하는 선인장처럼 시련을 잘 버텨내면 고유한 삶의 자태를 가질 수 있다는 것. 그리고 잘 들여다보면 사막에는 현명한 방법으로 살아가는 생명체들과 밤하늘을 수놓는 화려한 은하수가 있다는 것. 이 모든 것들이 각자의 사막에서 허둥대며 외롭고 아프기만 한 청춘을 겪고 있는 나를 닮은 누군가에게 닿기를 바란다.

이미 내가 원하지 않는 사막에 내던져진 누군가에게,

사막화가 진행되어 끝도 없는 막막함에 놓여있더라도

반드시 직접 그 끝에 다다르기를.

남극에서 불어온 꽃바람

희영

희영 누군가의 인생에 위안이 되고 희망이 되는 글을 쓰고 싶은 사람입니다. 비 오는 날의 바다를 좋아하고, 흙을 빚어 생기를 주는 것을 기뻐하며, 추운 날의 따뜻한 커피 한잔과 볼을 스쳐 가는 봄바람을 사랑하는 사람입니다. 완벽한 글이 아닌 서툰, 그래서 더욱 빛나는 그런 글을 쓰는 사람이고 싶습니다. 세상에 모든 이야기가 글로 써지는 그날까지 멈추지 않겠습니다.

email : namielegy66@gmail.com

그날의 기억 속으로

　멀리서 들리던 총소리가 점점 가까워져 오자 순임은 불안한 마음에 대문 밖의 동태를 살폈다. 1950년 6월 25일 새벽, 38선을 넘은 북한군의 도발로 시작된 전쟁은 유엔군의 참전으로 남한에 유리한 듯하였으나 유엔군의 38선 돌파 이후 중공군의 개입으로 인해 또다시 전선이 남하하게 되면서 순임이 살고 있던 마을사람들도 피난을 떠나게 되었다. 전쟁이 발발하자 순임의 남편도 군에 입대했다. 남편 영호는 입대 전날 밤 안방에 누워 딸 영희를 배 위에 올려놓고 말했다.

　"우리 영희 아빠 없이 어찌 사누. 우리 영희 불쌍해서 어찌하누."

　그 무렵 순임은 둘째를 낳고 몸조리를 하던 참이었다. 집을 나서던 새벽, 잠든 두 아이의 얼굴에 볼을 비비며 눈물을 글썽이던 남편의 모습이 지금도 눈에 선했다. 그런 남편을 기다리며 순임은 시댁 식구들

과 함께 있었다. 그러나 중공군이 남하했다는 소식에 마을 사람 중에
도 피난을 떠나는 사람들이 속출했다. 아직 어린 시동생들이 있는 시
댁 어른들 역시 더는 미루지 못하고 부산 친척 집을 찾아 피난길을 떠
났다. 그러나 순임은 둘째를 낳은 후 몸이 좋지 않아 며칠 더 집에 머
무르기로 하고 산후조리를 도와주던 양주댁과 함께 집에 남았다.

또다시 공습이 시작되었는지 폭탄 터지는 소리가 고막을 찢었다.
새벽부터 순임은 문턱이 닳도록 대문 밖을 들락거리며 양주댁이 오
는지 신경을 곤두세우고 있었다. 며칠 전 양주 댁은 잠시 집에 다녀오
겠다며 떠난 후 돌아오질 않고 있었다. 동네 사람들이 하나 둘 짐을
싸들고 떠나는 모습을 보면서 더는 양주댁을 기다리지 못할 것 같다
는 초조함에 순임의 속은 타들어 갔다.

해가 중천에 떠오를 때쯤, 이제나저제나 양주댁이 돌아올까 싶은
생각에 대문 앞을 서성이던 순임을 보며 피난 짐을 소달구지에 싣고
가던 청기와 집 영자 엄마가 말을 건넸다.

"영희 엄니! 피난 안 가고 뭐 혀요? 길 건너 막둥이네랑 길모퉁이
영길이네 빼고는 다들 피난 갔슈."

여섯 살 난 영자는 때 묻은 저고리 끝동을 입으로 씹으며 한 손은
어미의 치맛자락을 꼭 잡은 채 까맣고 동그란 눈으로 순임을 바라보

고 서있었다. 어린 것이 아무런 영문도 모른 채 어른들의 피난길에 따라나선 것이다.

"네, 양주 댁만 돌아오면 저도 떠나야지요."

순임의 말에 영자 엄마가 말했다.
"양주댁유? 양주 댁은 지난 밤에 벌써 떠시유! 새댁도 어서 가유. 식구들은 아무두 읎슈?"

"네."

순임은 영자 엄마의 질문에 기어들어 가는 목소리로 대답했다.

"애고, 어서 짐 싸유! 혼자 애덜 델꼬 워쩐데유."

짐을 잔뜩 실은 지게를 지고 있던 영자 아버지의 "어서 가자"는 성화에 영자 엄마는 더는 말을 잇지 못하고 측은한 눈빛을 보내며 순임 곁을 떠나갔다. 순임은 영자 엄마의 말에 내색은 하지 않았으나 적잖이 놀란 가슴을 부여잡고 급히 방안으로 뛰어 들어갔다. 난리 통에 혼자 남겨졌다고 생각하니 머리가 온통 하얘져 아무 생각도 할 수가 없었다.

무엇을 챙겨서 가야 할지 잠시 생각하다 아이들 옷가지와 자신의 옷 한 벌을 챙겼다. 그 순간 가까이서 콩 볶는 듯한 따발총 소리에 선반 위의 반짇고리가 흔들렸다. 놀란 순임은 방한 귀퉁이에서 옷에 달린 문어 다리를 씹고 있던 딸 영희만 둘러업고 냅다 집 앞 골목길로 내달렸다. 정신없이 달려 피난민들이 빼곡한 신작로에 다다랐을 즈음 고막을 때리는 폭탄 소리와 함께 사람들의 비명이 들려왔다. 순임은 땅바닥에 이마를 찧으며 엎드렸다.

사방에서 아이들 우는 소리가 들렸다. 순임은 벌떡 일어나 집을 향해 달렸다. 엄마 등 뒤에서 자던 영희가 깨어 울었다. 피난 짐과 아이들, 노인들을 실은 손수레를 끄는 사람, 지게에 쌀을 지고 달리는 젊은 장정, 보따리를 이고 지고 걸어가는 여인들을 마주 스쳐 지나가며 자신이 처한 상황이 얼마나 위급한지 깨달았다. 돌아온 집 대문은 나갈 때처럼 활짝 열려있었다.

부리나케 툇마루에 올라 미닫이문을 열고 방을 보니 갓 백일을 넘긴 아들 철희가 자지러지게 울고 있었다. 순임은 울고 있는 아들 철희를 안아 올렸다. 울던 아들은 엄마 품에 안기자 울음을 멈추고 입을 오물거리며 젖을 찾았다. 순임은 안았던 아들을 방바닥에 내려놓고 영희를 업었던 포대기를 풀었다. 딸아이를 방바닥에 내려놓자 울음을 터뜨렸다. 이 소리에 아들 역시 울음을 터뜨렸다. 작은 방안에 울려 퍼지는 아이들의 울음소리에 순임도 울음을 터뜨리며 철퍼덕 방바닥에 주저앉았다. 이 전쟁 통에 어린 두 자식을 데리고 혼자 피난길을 떠나야 한다는 사실이 그녀로서는 도저히 믿기지 않았다. 이것은 꿈이라는 생각을 해보았지만, 분명한 현실이었다. 한참을 울던 아이들은 지쳤는지 울음이 잦아들었다.

배가 고픈지 엄지손가락을 입에 넣고 빨고 있는 아들을 위해 저고리 앞섶을 풀어 아들 입에 젖을 물렸다. 허겁지겁 달려갔다 온 탓인지 순임은 노곤함을 느끼며 방벽에 머리를 기대었다. 딸 영희는 순임의 치맛자락을 붙잡고 방바닥에 엎드려 잠이 들었다. 가슴에 안은 아들 철희는 한 손은 엄마의 저고리 고름을 움켜잡고 한 손은 엄마의 젖을 움켜쥔 채 주린 배를 채우고 있었다. 방안이 조용해지자 순임의 눈꺼풀이 내려앉았다.

"여보! 영희야!"

철모를 쓴 영호는 대문을 활짝 밀치며 마당 안으로 들어섰다. 부엌에서 불을 때던 순임은 반가운 목소리에 부지깽이를 내 던지며 부엌문을 열어젖히곤 마당으로 달렸다. 순임은 마당 한가운데 우뚝 선 군복을 입은 남자를 보자 흠칫 놀라 뒷걸음질을 쳤다.

구멍 난 철모를 쓴 사내는 얼굴 가득 피 칠갑을 하고 있었다. 자세

히 보니 구겨진 군복에는 마른 들풀들이 달라붙어 있었고 오른쪽 군화는 찢겨 너덜거렸으며 다른 한쪽의 군화는 진흙이 잔뜩 묻은 몰골로 자신을 바라보고 있는 것이 아닌가? 어디서 본 듯도 하여 자세히 얼굴을 보려 하니 그가 이를 드러내며 웃는다.

"순임아! 나야."

순간 그가 남편 영호임을 깨달은 순임은 가슴에 깊은 통증을 느끼며 폐부에서부터 북받치는 울음을 토해내려 애를 썼다. 달려가 남편 얼굴의 피를 자신의 옷고름으로 닦아주려 했으나 그것은 마음뿐, 발이 땅에 붙었는지 움직일 수가 없어 고통스럽게 몸부림을 쳤다.

"으앙."

아기 울음소리에 퍼뜩 정신이 든 순임은 자신이 어두워지고 있는 방 안에 앉아서 졸다 아들을 떨어뜨렸다는 사실을 깨달았다. 꿈이었다. 불길한 꿈이었다. 순간 순임은 남편에게 변고가 생겼다는 것을 직감했다. 가슴이 저리는 아픔이 느껴졌지만 당장 이 집을 떠나야 했다. 사람들의 발걸음 소리가 집 앞 골목까지 울려 퍼지는 것을 보면 피난민들이 점점 더 남쪽을 향해 밀려 내려오고 있다는 사실을 알 수 있었다. 순임은 울고 있는 아들을 강보에 단단히 말았다. 그리곤 잠든 딸 영희를 업으려 포대기를 들어 올렸다. 진달래 빛 누비포대기를 보자 마지막으로 보았던 친정엄마의 얼굴이 떠올라 눈물이 솟구쳤다.

집안이 부유했던 순임의 아버지는 정치 쪽에 줄을 대며 사업을 크게 하는 사람이었다. 그는 본부인에게서 얻은 첫딸인 순임을 무척이나 애지중지했다. 그러나 더는 자식을 생산하지 못하는 본부인을 내치라는 문중 어른들의 성화에 못 이겨 첩을 들여 아들을 낳았다. 내심 딸아이를 잘 키워 명문 집안과 사돈을 맺으려는 속셈을 가지고 있었던 그는 집안 어른들의 반대에도 불구하고 순임을 여학교에 진학시켰다. 그러나 신여성으로 자란 순임은 당시 유행하던 자유연애 사상에 심취됐고, 자기 뜻에 맞는 지금의 남편 영호를 만나 연애를 하고 결혼했다. 덕분에 아버지의 노여움을 산 순임은 더 이상 부잣집 딸이 아닌 가난한 소학교 선생의 아내로 사는 삶에 만족해야 했다.

그래도 순임은 행복했다. 자신이 믿던 삶의 철학을 온전히 몸소 실천하고 있다는 만족감에 가난한 시골 선생의 아내 역할마저 신여성이 나아가야 할 길이라고 굳게 믿고 있었다. 그러나 지금 어두운 방 안에 두 아 이를 데리고 어딘지도 모를 피난길을 떠나야 하는 처지가 되고 보니 신여성의 드높은 가치관은 온데간데없고 초라하고 비참한 자신의 처지가 너무도 한심했다.

"순임아! 혼자 견디기 어려운 일이 있거들랑 언제든 어미한테 연락하려 마."

만삭이 된 딸을 본 순임의 친정엄마는 눈물을 훔치며 여러 번 당부했었다. 아버지 몰래 시댁 근처 윗마을까지 온 순임의 친정엄마는 시댁 어른들에게 인사도 드리지 못하고 순임을 불러내어 몰래 만났었다.

"어머니, 걱정하지 마세요. 저는 잘 있어요. 시댁 어른들도 그렇고 신 서방도 저에게 아주 잘해요."

걱정스러운 눈빛으로 딸을 바라보며 참던 친정어머니는 그나마 위안이 되었는지 눈물을 삼키며 손가락에서 끼고 있던 쌍가락지며 가슴에 달고 있던 장신구들을 풀어 순임의 손에 쥐여주었다. 그렇게 멀리서 잠시 만나고 떠나 보낸 친정엄마는 집안의 마름 서방을 통해 간간이 소식을 전해주었다. 해산달이 다 되어도 친정에 오지 못하는 딸이 안타까운 진정 엄마는 짙은 진달래 색 천을 떠서 누비 솜을 넣고 촘촘히 박아 아기 포대기를 만드셨다. 꿈에 커다란 복숭아를 따는 꿈을 꾸었다며 태어날 아기가 딸아이임을 확신하셨는지 아기 배냇저고리 역시 분홍 꽃을 수놓아 보내주셨다.

포대기를 보며 지난날을 떠올리던 순임은 어두워지는 하늘을 바라보며 준비를 서둘렀다. 친정엄마가 준 폐물들을 전대를 차듯 속 고쟁이에 말아 감아 차고, 쌀독의 흰쌀을 서너 됫박 무명 자루에 담은 후, 아이들의 옷가지 몇 벌과 자신의 옷 한 벌을 챙기곤 고무신을 신었다. 그리고 그 위에 천을 감아 고무신이 벗겨지지 않게 동여맸다. 딸아이는 등에 포대기로 업고, 아들은 가슴에 안아 올린 후 기저귀 한 장을 풀어 업은 딸과 자신의 몸, 그리고 아들을 돌돌 감아 한 몸처럼 만들었다. 출산 후 제대로 먹지를 못한 순임은 순간 어지럼증을 느껴 잠시 휘청거렸으나 더는 시간이 없는지라 다리에 힘을 주어 일어났다.

부엌으로 들어선 순임은 지난밤에 쪄 놓은 감자와 마른 누룽지를 봉투에 담고 찌그러진 냄비에는 김치 한 포기와 된장, 고추장을 한 숟가락씩 퍼 담은 후 대나무 소쿠리에 담아 이불보로 쓰던 천을 찢어 감쌌다. 순임은 잠시 부엌을 돌아보다 똬리를 발견하고는 머리에 올린 후 끈을 입에 물었다. 그리곤 대나무 소쿠리를 싼 보자기를 머리에 얹었다. 모든 준비는 끝났다. 이제 다시는 돌아올 수 없을지도 모를 길을 떠나려 하니 하염없이 눈물이 흘렀다.

어렵사리 피난민 대열에 합류한 순임은 밤새 속리산 밑자락을 돌아 남하하고 있었다. 얼마나 걸었을까? 지친 사람들은 계곡물이 흐르는 곳에 자리를 잡고 가져온 음식들을 풀어 허기를 채우기 시작했다. 그래도 다행히 순임은 마을 아낙네들을 만나 함께 가는 바람에 조금은 위안을 얻었다. 순임 역시 아들을 싸맨 기저귀를 풀어 젖을 물리고 등 뒤의 딸에게는 찐 감자를 하나 쥐여주었다. 자신도 감자 한 입을 베어 물었으나, 버썩 마른 입안으로 넘어가지 않았다. 두 손을 모아 속리산 자락을 타고 내려오는 계곡물을 떠 마시니 그나마 감자 조각이 목을 타고 넘어갔다.

그렇게 잠시 쉬던 피난민들 사이로 섬광이 번쩍 하더니 연이어 콩 볶는 듯한 총소리와 함께 휘몰아치는 바람이 일었다. 굉음에 놀란 순임은 정신이 혼미하여 아들을 품에 안고 돌 틈에 머리를 박았다. 잠시 후 환한 조명탄이 터졌다. 어디선가 나타난 북한군들은 총을 쏘아 대기 시작했다. 삼삼오오 모여있던 피난민들은 정신없이 흩어졌다.

순임 역시 등 뒤에 업은 영희와 가슴에 안은 아들 희철을 부여안고 정신없이 산골짜기를 달렸다. 달려가다 보니 발바닥에 통증이 느껴졌으나 멈출 수가 없었다. 그렇게 순식간에 산등성이 하나를 넘자 커다란 바위가 눈에 보였다. 순임은 바위 틈새 사이로 몸을 밀어 넣었다. 여전히 섬광은 번쩍였고, 총소리는 멈출 줄을 몰랐다. 아들을 안고 있던 손이 뜨거워지는 것을 느끼며 아래를 내려다본 순간 아들을 감싸고 있던 흰 천은 붉은 피로 물들고 있었다. 더 이상 움직임이 없

는 아들을 보면서도 울음소리조차 내지 못한 순임은 순간 정신을 잃
었다.

낯선 하늘아래

"여보세요?"

머리맡에서 울리는 전화벨 소리에 잠에 빠져 있던 혜리는 얼굴까지
덮인 이불을 걷지도 않고 손을 뻗어 수화기를 들었다. 목 안이 말라서
인지 갈라지듯 쇳소리가 났다. 잠시 기침을 하며 목을 가다듬는 사이
수화기 너머에서 다급하게 부르는 소리가 들렸다.

"혜리야! 혜리야!"
"어! 엄마?"
목구멍이 따가웠다.
"야야, 외할머니가 경찰서에 있다는 연락이 왔다. 네가 좀 가봐야
겠다."
"어, 어."

대충 얼버무리 듯 대답하며 전화를 끊은 혜리는 덮여있던 이불을

걷으며 침대에 걸터앉았다. 방안을 감도는 싸늘한 냉기가 등골을 서늘하게 훑었다. 침대 옆 벽에 걸려있던 가운을 걸치고 목욕탕으로 들어선 혜리는 물을 틀어 얼굴을 적셨다. 그제야 조금 정신이 들었다. 수건을 집어 들다 거울을 보니 푸석하니 핏기 하나 없는 얼굴의 여자가 서 있다.

혜리는 얼굴의 물기를 닦으며 선반 위에 놓인 붉은 립스틱 뚜껑을 열어 입술에 문질렀다. 너무 진한가 싶은 생각에 얼굴을 닦던 수건 끝을 집어 살짝 지워본다. 생기 없던 얼굴에 그나마 붉은 색을 바르니 좀 나아 보인다. 머리에 묻은 물기를 닦아 내며 좀 더 가까이 거울에 얼굴을 가져다 대니 귀밑에 흰머리가 보인다. 요즘은 한 달에 한 번 염색을 하지 않으면 흰머리들이 저마다 기지개를 켜고 일어난다. 내일은 미장원을 가야겠다고 생각하며 통에 담긴 롤 빗을 들어 머리를 대충 빗었다. 한국의 미장원을 가 본 지가 언제였던가? 너무도 오래전 일이다.

혜리가 처음 남미 아르헨티나로 여행을 떠난 건 1998년도 초였다. 공군 전투 조종사였던 남편이 사고를 당해 꼬박 일 년 동안을 의식이 없이 지내다 결국은 그녀의 곁을 떠난 것이 그 무렵이었다. 남편의 죽음 후, 힘든 시기를 겪고 있던 혜리는 대학 선배로부터 한번 놀러 오라는 연락을 받았다. 나이 드신 외할머니와 함께 살고 있는 엄마를 두고 떠나기가 쉽지는 않았지만, 잠시 바람을 쐬고 싶다는 생각과 함께 남편에 대한 그리움을 떨칠 요량으로 떠났던 남미행은 무려 이십여 년을 넘기고 있었다.

긴 검은 생머리와 화장기 없는 얼굴에 검은 드레스를 입은 혜리가 비행기 트랩을 내려오면 처음 마주한 것은 덥고 습한 남미의 열기였다. 장장 마흔여덟 시간이 넘는 여행 시간에 혜리는 지칠 대로 지쳐있었다. 비행기 트랩을 내려오며 바라본 공항은 생각보다 규모가 작았다. 1998년도 아르헨티나 에세이사공항은 국제공항이라고 하기에는 규모가 너무 조촐했다. 고등학교를 졸업하고부터는 기회가 닿는 데로 여행했던 혜리였지만, 남미 쪽은 처음이기도 했거니와 영어가 통하지 않는다는 것에 당황했다. 비행기에서 내린 혜리는 여권과 돈이 든 작은 핸드백과 기내 가방을 챙긴 후 짐을 찾기 위해 수하물 하역장을 찾아 공항 지하로 내려갔다.

커다란 입을 벌리고 검은 혀를 내밀며 가방들을 토해내고 있는 수하물 컨베이어벨트 주변엔 각국에서 온 사람들로 북적거렸다. 짐을 날라주는 사람들이 여행객들을 잡고 흥정하는 모습이 보였다. 혜리에게도 역시 한 남자가 다가와 서툰 영어로 도와주겠노라 말했다. 혜리는 가방이 하나라 괜찮다고 말했으나 알아들었는지 못 알아들었는지 계속되는 호객행위에 짜증이 난 혜리는 인상을 쓰며 가방이 나오는 입구를 주시하고 있었다. 족히 한 시간은 넘게 기다려도 나오지 않는 가방을 기다리다 공항 직원을 붙들고 물어보니 가방이 브라질로 갔다는 대답이 돌아왔다. 지금과 달리 당시만 해도 국제공항에서 일하는 직원들이 영어가 서툴렀다. 한참을 손짓발짓해 가며 자기 가방을 찾아달라는 항의를 마친 혜리는 지칠 대로 지친 몸을 이끌고 공항 검색대를 지나 밖으로 나왔다. 검색대라고 해야 특별한 장비도 없었다. 가방을 넣어 판독하는 기계 하나가 전부인 검색대를 지나니 멀리서 선배가 손을 흔들었다.

"오느라고 고생 많았지? 잘 왔어."

선배가 다가와 껴안고 볼에 입을 맞히며 인사를 했다. 잠시 당황한 혜리가 뒤로 물러나려는데 더욱 꼭 껴안으며 선배가 말했다.

"이곳에 아주 잘 왔어. 네가 아주 맘에 들어 할 꺼야. 편히 쉬다가 가"

환하게 웃으며 반겨주는 선배의 환대에 마음이 밝아진 혜리도 마주

안으며 답했다.

"고마워요. 반겨줘서."

그렇게 인사가 끝나자, 선배는 옆의 남자를 소개했다.

"인사해. 내 남편이야."

선배가 감싸고 있던 팔을 풀며 소개를 하자, 남자는 혜리에게 다가와 얼굴을 맞대고 껴안으며 인사를 했다. 순간 혜리는 당황했지만 태연한 척 마주 안고 인사를 한 후 선배의 차로 갔다. 브라질로 가버린 가방은 며칠 후 집으로 보내주기로 약속을 받고 공항을 빠져나왔다. 선배 남편이 나서서 공항 직원과 이야기한 덕에 다시 공항으로 오는 수고는 덜었다.

선배의 남편은 키가 크고 턱수염이 풍성한 호남형의 남자였다. 그는 스페인계 아르헨티나인이며 이름은 호세라고 했다. 처음 보는 아내의 후배지만 아내에게 배운 한국어로 인사도 건네며 나름의 친근감을 표했다. 혜리의 가방을 끌고 앞서가는 호세를 따라 혜리와 선배는 그간의 일들을 이야기하며 걸었다. 공항 건물을 빠져나와 주차장으로 오니 열풍에 숨쉬기가 어려웠다. 운전석에 앉은 호세가 시동을 걸고 에어컨을 켜자, 열풍이 조금씩 물러났다. 에어컨 바람이 시원해지자 혜리는 살 것 같았다. 차창 밖은 이미 어두워져 고속도로 양옆의 가로수가 장승처럼 보였다.

혜리는 꿈만 같았다. 한국과 정반대의 대척점에 자신이 와 있다는 사실과 아무도 알지 못하는 이 타국 땅에 단지 한 사람만을 믿고 왔다는 것이 너무도 비현실적으로 느껴졌다. 운전하는 남편의 옆 좌석에 앉은 선배는 오랜만에 한국어를 실컷 할 수 있어 좋다면서 쉴 새 없이 떠들어댔다. 그러나 긴장이 풀린 혜리는 눈꺼풀의 내려앉는 무게를 견디지 못하고 잠에 빠져들었다.

"혜리야, 일어나. 다 왔어."

혜리를 깨우는 선배의 목소리에도 혜리는 잠에서 빠져나오지 못하고 있었다. 꿈속에서 혜리의 남편은 혜리를 보며 웃고 있었다. 공군 조종사였던 남편은 키가 크고 잘생겼었다. 학창 시절 친구들과 함께 '사관과 신사'라는 영화를 본 후 배우 '리처드 기어'에게 홀딱 반한 혜리는 단 한 번도 미팅에 나가지 않았었다. 그런 그녀에게 친구 미현은

리처드 기어를 닮은 남자라며 자신의 사촌 오빠를 소개해 주었다.

처음 본 순간 둘은 서로에게 반해 만난 지 6개월 만에 전격적으로 결혼식을 했다. 혜리의 엄마 영희도 별다른 반대는 없었다. 워낙 서글 서글한 성격에 미남형의 남편은 아들이 없는 외할머니와 엄마 그리 고 자신에게는 없어서는 안 될 존재가 되기에 충분했다.

그러나 그는 결혼 3년차 전투 비행 훈련 중 사고를 당하여 오랜 시 간 의식이 없는 상태로 있었다. 그래도 혜리는 누워있는 남편을 보는 것만으로도 위안이 되었었다. 그러나 그가 깨어나지 못한 채 혜리의 곁을 떠난 후 그녀는 세상의 모든 것들과 단절한 채 시들어가고 있었 다. 그가 없는 집안은 숨소리조차 크게 들릴 정도로 적막했다. 그 적 막감을 이기지 못해 수면제를 털어 넣었던 혜리를 친정 엄마인 영희 가 발견하여 겨우 위험한 고비를 넘겼었다. 그런 딸이 저 지구반대편 으로 간다는 말을 들은 엄마는 밤새 소리 죽여 울었다. 외할머니 역시 혜리가 잠든 머리맡에 앉아 초췌해진 손녀딸의 얼굴을 어루만지며 눈물만 흘리셨다.

그렇게 떠나온 여행이었다. 남편의 아이를 갖고 싶었으나 쉽지 않 았다. 여러 번 산부인과를 들락거리며 인공수정도 시도해 봤지만, 결 과는 실패로 끝났다. 처음 시댁은 혜리를 무척이나 반겼다. 물론 편모

슬하에서 자란 점이 마음에 걸려 하시기는 했으나 워낙 밝고 상냥한 성격의 혜리를 마다 할 사람은 없었다.

그러나 아이를 갖는 것에 실패하자 시댁 식구들의 태도는 냉담해졌다. 그런 사실을 알기에 더욱 간절히 아이를 원했던 혜리였다. 남편의 장례식을 끝나고 돌아오던 차 안에서 시댁 친척들은 저마다 한마디씩 했다. 아이라도 있었으면 그리 쉽게 가지는 않았을 거라고.

듣는데 서는 말을 안 했지만, 시댁 집안 친척들은 삼대째 청상과부(靑孀寡婦)가 한집에 모여 살아 음기가 강하다는 둥, 그래서 혜리의 남편이 일찍 죽었다는 둥, 입에 담기도 민망한 말들이 오고 가는 것을 혜리는 알고 있었다. 조선시대도 아닌 21세기 한국에도 여전히 과부 삼대가 모여 사는 것은 흉거리가 되는가 보았다. 결국 남편이 먼저 죽은 것은 오롯이 아내인 혜리의 탓이 되었다. 그러한 주변의 시선을 견디기 힘들었던 혜리는 멀리 지구 반대편에서 내려온 구원의 동아줄을 뿌리칠 수 없었다.

불러도 깨어나지 못하는 혜리를 선배는 세차게 흔들었다. 겨우 정신을 차린 혜리는 자동차 밖이 훤하게 밝았다는 사실을 깨달았다. 정신없이 잠든 것이 미안해서 계면쩍게 웃으며 일어나 입가에 흐르는 침을 닦았다.

"혜리야. 우리 커피 마시고 들어가자."

선배의 말에 아무 말 없이 따라 들어간 커피 집은 진한 커피 내음으로 가득했다. 또한 달콤한 빵 냄새가 식욕을 자극했다. 그 빵은 반달 모양이라는 뜻의 메디아 루나라는 빵인데 다이어트에는 치명적이었다. 그날 이후 혜리는 매일 아침 커피와 메디아 루나를 먹는 즐거움에 세월 가는 줄 모르고 이십 여년을 남미에서 살았다. 도착해서 몇 번 한국의 엄마에게 전화했지만, 워낙 비싼 전화비가 미안해 자주 연락을 못 했다. 간간이 엄마가 걸어오기도 했지만 그 역시도 쉽게 연결되지 않았다.

2024년을 살아가는 지금이야 카카오톡이라는 앱도 있고 하여 무료로 전화가 가능하지만, 당시만 해도 컴퓨터를 켜고 클릭 한번 하면 십여 분은 족히 기다려야 화면이 바뀔 정도의 인터넷 속도였으니 무인도에 온 것이나 진배없었다. 그녀는 이런 남미의 느긋한 삶이 편했다.

현재야 남미 아르헨티나의 경제 점수가 전 세계 꼴찌이지만 1990년대 정도만 해도 여유와 풍요가 넘쳐나는 나라였다. 길에서 사는 사람들도 저녁이면 대로변에 석쇠를 놓고 숯불로 고기(아사도)를 구워 먹을 정도였다.

혜리가 가장 놀랐던 점은 마을 곳곳에 설치되어 있는 철로 만든 바구니였다. 페론 정부가 들어서면서 집 앞 길가에 세워둔 철 바구니에 우유와 빵, 고기를 아침마다 수북이 쌓아 놓았다고 한다. 혜리가 갔던 그 시기만 해도 집에 사는 개들은 물론이요, 들개들에게도 생고기를 던져주는 것이 예사였던 시절이었다. 특히 수도인 부에노스 아이레스를 벗어난 지방에서는 낮잠 자는 시간을 뜻하는 시에스타(siesta)가 존재했다. 점심시간이면 모든 상점은 문을 닫고 일하는 사람들은 각자의 집으로 가거나 나름의 휴식 장소로 가서 잠을 자다가 다시 오후 늦게 상점 문을 열곤 했다. 처음엔 이해가 안되기도 하고 불편하기도 했지만 지금 생각해 보면 그네들의 삶이 그만큼의 여유를 가지고 있었다는 것을 깨닫게 된다. 지금은 경제적인 어려움에 봉착하면서 지방도 이러한 문화가 사라져가고 있는 점을 혜리는 늘 안타까워했다.

혜리는 선배가 운영하는 가게의 일을 도와주면서 스페인어를 배우기 시작했다. 외국인들을 위한 수업은 아니었지만, 글을 모르는 현지인들을 위한 수업에 참석하면서 조금씩 글도 익숙해졌고 귀도 트였다. 그렇게 이삼 년을 버리고 나니 나름 혼자서도 현지인들과 소통이 가능해진 혜리는 자신이 좋아했던 그림 공부를 위해 미술계 대학에 진학했다. 미술계도 한국과는 매우 달랐다. 자유롭게 자신이 하고자 하는 것은 언제든 할 수가 있었다. 특히 수업료가 없는 국립학교 시스

템은 혜리에게 매우 좋은 기회가 되었다. 경제적으로 아직 여유가 없는 혜리에게는 더없이 좋은 기회였다. 본디 한국에서 미술을 전공한 혜리는 이후 여러 번의 조각 전시회를 하면서 지역 내에서는 나름의 유명 인사가 되었다. 그래도 가끔 한국에 대한 그리움과 엄마가 보고 싶을 때면 모든 것을 접고 한국으로 들어갈까 하는 갈등을 겪지 않은 것은 아니었다. 그래도 이곳의 삶이 나쁘지 않았다.

그러던 2023년 12월의 어느 밤, 엄마로부터 전화가 왔다. 오랜만에 듣는 엄마의 목소리에는 피곤이 묻어 있었다. 할머니가 하시던 레스토랑을 엄마가 인수하여 하시길 벌써 이십 여년이 넘었다. 외할머니가 운영하던 때와는 많이 달라졌지만 단골도 제법 많아 엄마는 딸이 없는 외로움을 느낄 사이가 없다고 하셨다. 그러나 혜리는 잊고 있었다. 자신이 나이를 먹는 만큼 엄마도 늙어가고 있다는 사실을.

"혜리야, 잘 있나? 한번 다녀가거라. 외할머니가 치매가 왔단다."

말끝을 흐리는 엄마의 목소리에 가슴이 철렁했다. 두 분이 의지하며 살아온 세월이 깊은 만큼 충격도 클 것이라는 것을 누구보다 잘 알고 있는 혜리는 선뜻 아무 말도 할 수 없었다. 사실 코로나가 터지던 2018년 초쯤 한국 행 비행기를 예매했다가 취소를 했었다. 한국이 먼저 코로나 사태가 시작되었고, 아르헨티나도 곧 봉쇄할 것이라는 이야기가 나오자 2018년 6월경으로 예정되어 있던 전시회를 앞당기기로 한 탓이기도 했다. 결국 코로나 사태가 끝나고 난 후 몇 년이 지난 다음에야 혜리는 한국행 비행기를 탈 수 있었다.

만리 타국에 혼자 있는 딸에게 걱정을 끼치고 싶지 않았기도 했고, 그곳에서 좋은 인연을 만나 정착하기를 바라는 엄마로서의 간절한 소망이 있었기 때문이기도 했다. 하지만 혜리는 다른 남자와의 인연은 의식적으로 거부하고 있었다. 선배의 설득에 교민도 만나봤고 자신에게 호감을 표하는 현지인 남자도 있었지만 어쩐지 남편이 떠난 이후 그녀는 아무런 감정이 생기지 않았다. 혼자가 좋았다. 자신이 좋아하는 미술을 할 수 있고 그나마 생계를 유지할 수 있는 일이 있다는 것도 좋았다. 최근에는 한국의 K 문화가 확산하면서 예술계에서도 한국적인 것에 관심을 많이 보여 더욱 보람을 느끼고 있었다.

외할머니에게 치매가 왔다는 엄마의 전화를 받은 혜리는 더는 미룰 수 없어 모든 것을 잠시 미루고 왔던 때처럼 기내 가방 하나 선물을 담은 큰 가방 하나만을 들고 에세이사 공항으로 출발했다. 공항은 내부를 새롭게 바꾸었고 맥도날드가 입점했으며 가게들이 조금씩 바뀐 것 외에는 크게 변한 것이 없었다. 혜리는 비행기 탑승을 위해 절차를 밟았다. 예전과는 달리 많이 빨라졌다는 것이 큰 변화라면 변화일 것이다. 또한 가방을 검색하는 검색대가 새로운 모델로 바뀌었다는 사실을 깨달으며 탑승구쪽으로 걸어갔다.

　대한항공이 한때는 브라질까지 운행하여 한국 가는 교포들이 자주 이용 했었지만, 지금은 운항이 취소되어 카타르나 아랍에미레이트등 다른 항공을 이용하여 한국에 가곤 한다. 혜리는 날짜가 제일 빠른 카타르 항공에서 표를 예매했다. 혜리는 비행기표와 여권을 손에 쥐고 비행기를 타려 줄을 선 사람들 뒤로 다가갔다.

　사람들이 좌석에 앉자, 비행기 문이 닫히고 좌석 벨트를 착용하라는 신호가 켜졌다. 비행기 바퀴가 아스팔트를 핥고 지나가는 진동이 몸으로 느껴졌다. 이륙하는 순간 혜리는 온몸이 경직되고 손발이 떨려오며 알 수 없는 감정에 휩싸여 자신도 모르게 눈물이 났다. 양손으로 의자 팔걸이를 부여잡고 눈을 감았다. 남편의 사고를 알려오던 그 아침의 전화와 그를 보내던 날의 참혹했던 순간들이 떠올랐다. 한국과는 아주 먼 곳에 오면 그를 잊을 수도 있지 않을까 했지만, 혜리는 결코 남편을 마음에서 떠나보내지 못했다. 그는 여전히 젊고 아름다운 모습으로 그녀를 보며 웃고 있었다. 온몸에 홍건히 땀이 배어나고 입으로 앓는 소리가 새어 나올 때쯤 스튜어디스가 다가와 괜찮은지 물었다.

안전벨트 착용 싸인이 꺼지자 혜리는 일어나 화장실쪽으로 걸어갔다. 후들거리는 다리를 겨우 버티며 좁은 통로를 걸어 화장실쪽으로 오니 두명의 대기자가 서 있었다. 고개를 돌려 비행기 창문 밖을 보니 금빛 가루가 뿌려진 듯 환상적인 모습이 보였다. 더 이상 그 빛이 보이지 않을 때까지 혜리는 브에노스 아이레스의 밤을 내려다 보았다.

이제 다시 한국으로 돌아가는 비행기를 타고 있자니 남편과의 일들이 어제처럼 생생하게 기억이 났다. 그가 훈련을 떠나는 날은 늘 불안감이 엄습해 혼자 술을 홀짝이기도 했었다. 그와 마지막 작별을 하던 날 아침이 생각났다.

"혜리야, 나 죽으면 너 다른 사람하고 결혼해. 알았지?"

나는 화난 얼굴로 그의 등 짝을 후려치며 말했다.

"쓸데없는 소리 말고, 비행 끝내고 우리 닭갈비 먹으러 가자."

처음 만난 날 먹던 닭갈비는 세상에서 제일 맛있는 음식이었다. 다른 사람들은 맛이 없다던 그 닭갈비 집을 이후에도 혜리와 그녀의 남편은 줄기차게 갔었다. 그랬던 그가 떠난 지 몇 년이 지났는지 기억도 가물가물해졌지만 그와 먹던 그 닭갈비 맛만큼은 입안에 침을 돌게했다. 한국에 도착하면 그 닭갈비 집엘 제일 먼저 가리라.

혜리는 비행 내내 잤다. 아주 오래오래. 그의 꿈을 꾸면서.

공항에 도착한 혜리는 공항 택시를 잡아 타고 엄마 집으로 향했다. 엄마의 집에 도착하니 엄마는 없었다. 시차를 생각할 여유도 없이 옷을 갈아입고 엄마의 가게로 갔다. 이른 아침이라 그런지 손님은 몇 명 없었다. 엄마는 보이지 않고 가게에서 일하는 아주머니가 혜리를 보며 말을 건넸다.

"뭐 드릴까예? 처음 오는 손님인갑네."

"네, 아, 아니요. 저 손님이 아니라 이 가게 주인아줌마 딸이에요."

딸이라는 소리에 아주머니는 반색하며 젖은 손을 앞치마에 닦으며 말했다.

"아고, 와 이제 왔능교. 주인 아지매 시방 병원에 입원했어예."
입원이라는 단어가 가슴에 비수처럼 꽂혔다. 혜리는 다그치듯 물었다.

"언제요? 왜요? 엄마랑 지난번에 전화했을 때는 아무 말이 없으셨는데요."

혜리의 말에 난색을 보이며 아주머니가 말했다.

"와요, 진작뿌터 아파쓰예. 딸내미한테는 말을 안했능갑네."

이미 오래전에 엄마는 관절염이 생겼었다. 그랬을 법도 하다. 아빠가 배 사고로 돌아가시고 나서 엄마는 할머니의 가게 일을 도맡아 하기 시작했었다. 나름 일류 대학교 국문과에 다니던 엄마는 정치적인 견해가 다른 외할아버지와의 관계가 썩 좋지 않았다.

택시를 잡아타고 대학병원에 들어선 혜리는 안내 창구에서 엄마의 이름을 대고 병실을 확인했다. 6인실로 구성된 병실은 환자와 보호자로 북적였다. 잠시 병실 안을 둘러보던 혜리의 눈에 익숙한 얼굴이 보였다. 엄마는 창가 쪽에 자리한 침대에 누워 잠이 들어 있었다. 가까이 다가가 엄마의 얼굴을 본 순간 혜리는 명치끝이 아렸다. 늘 젊은 엄마의 모습만을 떠올렸었는데 얼굴엔 주름이 깊이 패어있고 머리는 세월의 무게를 얹고 있었으며, 가늘어진 손목은 핏줄이 선명하게 튀어나와 있었다.

무릎은 수술을 한 탓에 침상 위 받침대에 올려져 있었다. 나만의 여유로운 삶을 즐기는 동안 엄마는 치열하게 자신이 감당해야 하는 삶의 무게를 온몸으로 지탱하고 있었던 것이다. 그런 엄마를 보며 혜리는 하염없이 눈물을 흘렸다.

"회진이요~."

간호사의 소리에 잠에서 깬 엄마는 옆에 있는 혜리를 미처 알아보지 못했다. 잠시 멍한 눈으로 바라보던 엄마는 자신의 딸인 혜리가 옆에 있다는 사실을 깨닫고 손을 뻗어 얼굴을 만지려 허공에다 손을 허우적거렸다. 그런 엄마의 손을 부여잡으며 혜리가 물기 어린 웃음을 보였다.

"아이고, 언제 왔니? 오느라고 고생했지."

엄마는 입이 말랐었던지 혀로 입술을 적시며 겨우 말을 이어갔다. 어떻게 왔냐? 언제 왔냐? 언제 갈 거냐? 끝없는 질문 공세에 답을 하기도 벅찼던 혜리는 엄마가 그래도 기력이 썩 나쁘지 않다고 위안을 삼으며 그동안 못했던 말들을 쏟아냈다. 엄마의 몸은 많이 쇠약해져 있었다. 몇 년 전부터 치매를 앓고 계시는 외할머니를 홀로 수발 들던 엄마는 몸보다도 마음이 많이 지쳐 보였다. 평소 안 좋았던 무릎이 급격히 나빠지는 바람에 외할머니를 어쩔 수 없이 서울 근교 요양원에 보낼 수밖에 없었는데 환경이 바뀌어서 그런지 자주 탈출을 감행하신다고 했다.

기억 저편

세수를 마치고 방으로 들어온 혜리는 가방을 열어 옷을 새로 갈아 입었다. 불과 한국에 도착한 지 채 일주일이 안 되는 시점인데 혜리는 진이 빠진 듯 피곤했다. 비행기에서 내려 아직 시차에 적응하지 못한 탓도 있지만, 그동안 잊고 지냈던 집안일들이 한꺼번에 덮쳐 내리누르는 듯한 압박감으로 물에 빠진 듯 허우적대는 자신을 느꼈다. 더 이 상 미적거릴 여유가 없다고 생각한 혜리는 갈색 코트를 걸치고 자동차 열쇠를 집어 들었다.

삼십여 분 달려 도착한 요양원 근처 경찰서에서 상황 설명하고 안내를 받아 대기실로 들어선 혜리의 눈엔 솜털처럼 하얀 흰머리의 노파가 보였다. 담당 경찰관에게 다가가 상황을 물었다. 조금 전 요양원 측 과도 연락이 되어 요양원 사람들이 오기로 했다고 했다. 혜리는 절차를 끝내고 외할머니에게 다가갔다.

"할머니, 혜리 왔어요. 저 알아보시겠어요?"

"……."

창 밖으로 시선을 준 외할머니는 아무런 반응이 없다. 요양원에서 제공하는 옷 위에 분홍색 스웨터를 걸친 할머니는 수건으로 돌돌 말은 무엇인가를 가슴에 꼭 껴안고 계셨다. 다시 한번 혜리는 할머니를 불렀다.

"할머니, 엄마가 무릎을 수술해서 제가 대신 왔어요."

여전히 시선을 고정한 채 미동도 없는 할머니를 바라보다 혜리는 손을 내밀어 할머니의 손등 위에 자기 손을 포개며 살짝 흔들었다.

"안돼! 안돼!"

외할머니는 고개를 홱 돌리며 소리를 고래고래 질렀다. 순간 경찰서 안의 모든 사람이 혜리와 할머니 쪽을 바라보았다. 당황한 혜리는 순간 할머니 손에 포갰던 자신의 손을 얼른 떼고는 사람들을 향해 고개를 숙여 미안함을 표했다. 좀 전에 할머니가 들어오게 된 상황을 설명해 준 여순경이 다가와 혜리에게 말했다.

"할머니께서 사람을 알아보지 못하시는 듯해요. 요양원 사람들이 올 때까지 기다리시는 것이 좋겠습니다."

"네, 알겠습니다."

혜리의 이마에는 송골송골 땀이 배어났다. 한때는 신여성으로 몸종을 데리고 시집을 갔을 만큼 부유한 집안의 딸이었지만, 몰락한 양반 가문의 아들을 만나 결혼 하면서 그녀의 인생은 풍랑을 만난 배와 같은 신세가 되었다. 전쟁 통에 남편의 생사를 확인할 길이 없어 애를 태우던 외할머니는 정부에 탄원서도 여러 번 보냈었다고 한다. 알음알음 아는 이를 통해 들은 이야기로는 북한군에 잡혀 국군포로가 되었다고도 하고 중공군과 맞서 싸우다 전사를 했다고도 했다. 그러나 그것은 단지 소문에 불과했고 그 후로도 계속 외할아버지의 생사는 알 길이 없었다.

이후 1983년 6월 30일부터 한국방송공사(KBS)가 추진한 이산가족 찾기 생방송을 시작하자 잃었던 희망을 되찾은 외할머니는 그 방송이 끝나던 같은 해 11월 14일까지 단 하루도 빠짐없이 텔레비전 앞을 지키며 자신의 남편이 나타나 주기만을 고대했다. 어느 날은 비슷한 사연을 가진 사람으로부터 연락이 왔다는 방송국의 연락을 받고 한달음에 달려갔지만 외할아버지는 아니었다. 그때부터 였을까?

외할머니의 정신세계는 무너지기 시작했다. 혜리를 붙들고 자주 우셨다. 잃어버린 아들에 대한 안타까움과 너무 젊어서 헤어진 남편에 대한 그리움으로 그녀의 정신은 조금씩 흩어지기 시작했다.

잠시 후 요양원에서 사람들이 왔다. 나의 말에는 화를 내던 외할머니도 담당보호사는 알아보셨는지 순순히 따라 나섰다. 혜리가 물었다.

"할머니께서 가슴에 품고 있는 저게 뭔지 아세요?

담당 보호사가 말했다.

"손녀라고 하셨나요? 할머니는 자기 아들을 잃은 그때를 살고 계신가봐요. 베개를 수건에 말아서 매일 저렇게 안고 계신답니다. 어느 날은 목욕시킨다며 베개를 물에 담그기도 하셨어요."

요양원 차가 출발하자 혜리는 그 뒤를 따랐다.

자갈치 똑순이

무릎 수술 이후 예후가 좋지 않아 입원 중인 영희는 딸 혜리에게서 연락이 없자 걱정이 되어 혜리에게 전화를 걸었으나 받지를 않아 걱정 중이었다. 이른 아침 경찰서에서 전화를 받은 후 놀란 가슴이 진정되지 않아 진정제를 먹었다. 홀로 딸 하나만을 키워온 어머니를생각하면 자신이 아직은 더 건강하게 살아 있어야 한다는 부담감에 늘 조심해 왔건만 한해 한 해 나빠지는 육체는 마음과는 달랐다 전쟁 통에 피난을 떠났던 엄마 순임은 마을 사람들과 함께 속리산 자락을 타고 남하하던 중 북한군과 국군이 맞닥뜨리는 지점으로 가게 되었고 마을 사람들과 떨어져 산골짜기 바위틈으로 피신했다고 했다.

등 뒤에는 딸인 자신 업고 가슴에는 아들 희철을 안고 달렸을 엄마 순임을 생각하니 영희는 눈물이 났다. 젊디젊은 나이에 남편을 잃고 낯선 타지에서 자식을 키워야 했던 순임은 품 안의 아들이 어디서 날아온 총탄인지 알지도 못하는 총알에 맞아 죽어가던 그 순간도 등 뒤의 또 다른 자식을 위해 목 놓아 울지도 못했다. 그렇게 아들을 떠나보내던 그날 정신을 잃고 바위틈에 끼여 피를 흘리고 있는 순임을 발견한 사람들은 국군이었다.

다행히 순임과 딸 영희는 무사했다. 이후 엄마 순임은 부산으로 내려와 피난민 생활을 시작했다. 그녀는 아들을 잃은 슬픔을 느낄 사이도 없이 또 다른 자식을 위해 부산 자갈치시장에 좌판을 깔고 생선을 팔아야 했다. 영희는 서너 살 때부터 엄마 순임이 차려놓은 좌판을 지키는 일을 했다. 엄마 순임이 잠시 자리를 비울 때면 똑 소리 나게 손님을 상대하여 자갈치시장에서는 '자갈치 똑순이'라는 별명으로 불렸다. 그렇게 영희가 초등학교에 들어갈 무렵 어떤 양복 입은 남자가 좌판 앞에 나타났다. 그리곤 영희에게 물었다.

"네 엄마 이름이 김순임이시니?"

엄마 이름을 묻는 남자의 얼굴이 무서웠던 영희는 고개만 끄덕거렸다.

"엄마는 어디 계시니?"

남자의 물음에 영희는 잠시 물건을 사러 갔노라고 대답했다. 그 대답을 들은 남자는 영희를 빤히 쳐다보다 일어나 가버렸다. 얼마 후 영희는 엄마에게 양복 입은 어떤 남자가 엄마의 이름을 물어보고 갔다고 말했다. 엄마 순임은 잠시 미간을 찌푸리더니 다시 아무 일도 없다는 듯 생선을 사라고 외치기 시작했다.

그리고 며칠 뒤 GM 쉐보레 승용차를 몰고 온 양복 입은 아저씨는 영희와 엄마 순임을 승용차에 태우고 서울 종로구 평창동 담이 높게 둘러쳐진 어느 집으로 갔다. 그때가 영희가 처음으로 외할아버지를 본 날이었다. 전쟁이 발발하자 순임의 아버지도 피난을 떠났었다. 그도 역시 부산으로 내려가 있던 중에 마름 서방으로부터 딸 순임이 부산 자갈치 시장에서 생선 장사를 하고 있다는 소리를 들었다. 그는 아무도 몰래 딸을 보러 시장에 갔었다. 사과 궤짝을 엎어놓고 비린 생선 몇 마리를 얹은 좌판은 너무도 볼품이 없었다. 그러나 그는 딸이 자신의 사랑을 찾아 떠난다고 했을 때 이미 버린 자식이라고 생각하고 있던 터인지라 딸 순임 앞에 나서기를 망설였다.

그러나 죽어가면서도 애타게 딸을 찾던 아내의 마지막 당부를 저버릴 수가 없었던 그는 마름 서방을 시켜 그녀를 불러올렸다. 1953년 7월 27일에 체결된 한국 군사 정전에 관한 협정에 따라 유엔군과 중국인민군의 참전으로 확대될 것 같던 전쟁은 휴전상태에 돌입했다. 이때를 기점으로 순임의 아버지는 자동차 정비사업에 손을 댔고 그 사업은 날로 번창했다.

순임의 아버지는 남편을 잃고 어린 딸 하나를 둔 딸의 신세를 생각하면 가슴이 아팠으나 결코 겉으로 내색하는 법은 없었다. 본 부인이 죽자, 첩살이하던 둘째 부인은 집안의 안주인이 되었다. 그런 상황에서 첫째 부인의 딸인 순임이 탐탁할 리 만무했다.

더군다나 자기 아들들은 자신의 호적에도 올라가지 못했다는 사실에 분개하고 있던 둘째 부인은 대놓고 순임과 영희를 구박했다. 영리한 영희는 엄마와 자신의 처지를 잘 알고 있었다. 그랬기에 더욱 열심히 공부에 전념했다. 덕분에 수재 소리를 들으며 서울에 있는 대학교 국문과에 입학할 수가 있었다.

영희의 꿈은 글을 쓰는 작가가 되는 것이었다. 그러나 엄마인 순임은 딸 영희가 선생님이 되어 남편의 못다 한 꿈을 이루어주기를 바랬기에 사범대를 가라고 했다. 치열한 대입 시험에서 해방된 영희는 그동안 누리지 못한 자유를 대학 생활을 통해 맘껏 누리고자 노력했다. 그 무렵 영희의 엄마 순임은 이복남동생들과의 불화를 겪고 있었다. 이를 보다 못한 순임의 아버지는 정동극장 옆 골목에 작은 레스토랑을 차려주고는 딸 순임과 손녀 영희를 분가 시켰다.

이 일로 인해 세상에 모녀지간만이 유일한 혈육 임을 절감했다. 외로움에 지친 엄마는 손님이 없는 저녁 시간이면 혼자 술을 마시며 생사를 알 수 없는 남편을 그리워했다. 그런 엄마를 보는 것은 영희에게 고통이었다. 영희 자신 역시 아빠가 한없이 그리웠다.

이런 영희 앞에 나타난 같은 학과 남학생은 그녀의 인생에 큰 의미로 다가왔다. 전쟁이 끝난 후 나라를 재건하겠다는 의지에 불타던 정부는 많은 정책들을 시행했다. 그러나 그것이 과했던지 국민들의 반대에 부딪쳤고, 그 선봉에 섰던 사람이 영희가 첫눈에 반한 그 남학생이었다. 그녀는 그의 하는 일을 적극 도와주고 싶었다. 사상이니 철학이니 그런 것들은 상관없었다. 그가 하는 일이라면 모두 멋지고 좋은 일이라는 생각만이 전부였다.

그렇게 영희의 위험한 첫사랑은 시작되었고, 그의 이름은 태호였다. 복학생인지라 영희 또래의 남학생과는 사뭇 다른 느낌을 풍기는 사람이었다. 그 역시 영희에게 호감이 있는지 자주 영희를 바라보며 미소를 보냈다. 그런 그의 미소를 받을 때면 가슴이 콩닥거렸고 붉어지는 볼을 감출 수가 없었다. 그러나 그는 어느 날 갑자기 사라졌다.

그 누구도 그의 행방을 알지 못했다. 항간에는 정보부에 잡혀갔다는 이야기도 있었고, 해외로 밀입국을 했다는 이야기도 있었다. 영희는 미처 자신의 마음을 고백해 보기도 전에 사라진 첫사랑 태호로 인해 가슴앓이를 했다.

그렇게 시간이 갔고 대학 삼 학년 마지막 학기를 맞이하면서 학교는 더욱 분위기가 삭막해졌다. 물론 정치적인 이유에서였다. 그 즈음 추석을 맞아 엄마 순임과 함께 외할아버지 댁에 인사를 갔던 영희는 외할아버지와 마름 서방의 이야기를 듣게 되었다. 무엇인지는 몰랐지만 단 한마디는 들었다. '태호'라는 이름이었다. 외할아버지의 입에서 자신이 알 수도 있는 사람의 이름이 나오는 순간 영희는 무엇인가 자신이 모르는 일들이 벌어졌음을 깨달았다. 태호는 외할아버지의 사주를 받은 학교 당국으로부터 퇴학 조치를 받았던 것이다. 그는 비밀리에 반정부 활동을 하고 있었다고 한다. 그 사실이 들통나서 이기도 하거니와 외할아버지가 그런 자가 자신의 손녀인 영희에게 접

근했다고 판단하여 그를 퇴학 시키는데 힘을 보탰던 것이다.

　그 밤 영희는 아무에게도 말하지 않고 집으로 돌아와 가방을 쌌다. 서울역에 도착한 영희는 무작정 서울에서 가장 먼 곳의 표를 사야겠다고 마음먹었다. 부산행 표를 산 영희는 밤새 기차에 앉아 뜬눈으로 밤을 새웠다. 밤새 느리게 달리던 기차는 이른 아침에서야 부산역에 도착했다. 택시를 잡아타고 광안리해수욕장으로 온 영희는 허기를 달랠 요량으로 '부산 해장국'이라는 간판이 걸려있는 식당으로 들어갔다.

　"어서 오이소."

　투박한 경상도 발음의 뚱뚱한 아주머니가 앞치마를 두른 채 영희 곁으로 다가왔다. 잠시 망설이던 영희는 선지를 뺀 선짓국을 시켰다. 턱을 괴고 벽에 걸려있는 식당 차림표에 눈길을 주고 있던 영희 앞에 반찬을 담은 쟁반을 든 남자 종업원이 걸어오더니 영희 앞에 반찬을 놓기 시작했다. 그저 멍하니 그 모습을 보던 영희는 순간 놀라 소리를 지를 뻔했다. 놀란 몸짓의 영희를 보던 젊은 사내 역시 동공이 커졌다 그 후의 일은 아무도 모른다.

　혜리가 아는 것은 단지 자신의 아버지가 배 사고로 죽었고, 그 사고는 자신이 태어나기 두 달 전의 일이라는 것뿐이다. 엄마 영희는 이후 단 한 번도 아빠에 대한 이야기를 혜리에게 하지 않았다. 물론 혼인신고도 하지 않은 상태에서 혜리를 낳은 탓에 혜리는 소위 미혼모의 딸이요, 유복녀(遺腹女)였다.

겨울바람의 끝자락을 물고 꽃바람이 불면

혜리가 한국에 온 지 꼬박 두 달이 지나가는 즈음에 혜리의 엄마 영희는 퇴원했다. 엄마가 없는 동안 혜리는 엄마가 운영하는 밥집과 오래된 엄마의 집을 수리했다. 엄마가 휠체어를 타고 다닐 수 있도록.

퇴원을 하기 위해 병원으로 가던 날 아침 혜리는 아르헨티나의 선배에게 전화를 했다.

"선배, 나 당분간은 한국에 머물러야 할 것 같아. 엄마가 많이 아프시네,,,"
"그래? 여기 걱정은 말고 편히 있다가 와."

언제나 변함없이 없는 선배에게 감사함을 느끼며 전화를 끊었다.

엄마 영희는 혜리가 한국에 온 후 매우 기쁜 나날을 보내고 있었다. 너무 오래 떨어져 있던 딸이 곁에 왔다는 것만으로도 기뻤지만, 자기 일을 미루고 엄마를 위해 또 외할머니를 위해 한국에 남아있어 주겠 다고 하니 미안하고 고마웠다.

추웠던 겨울바람이 가시고 길가에는 노란 개나리가 얼굴을 내밀기 시작했다. 혜리는 오늘 엄마와 외할머니를 모시고 가족사진을 찍으 리라 마음 먹었다. 외할머니도 최근에는 조금 정신이 맑아지셨는지 가끔은 혜리를 알아보곤 했다. 그러나 주변 사람들은 말한다. 그런 증 세가 돌아가실 때가 되어서 그런 것이라고.

뭐라도 좋다. 조금이라도 자신을 알아봐 준다는 것만으로도 혜리는 좋았다.

겨우내 추위를 견딘 개나리가 찬란하게 삶을 피워낸 공원 한 복판 에서 삼대 과부 기념 촬영이 시작됐다. 아직은 가기 싫은 겨울바람의 끝자락을 물고 꽃바람이 얼굴을 내밀었다. 우리 삼대 과부는 꽃바람 이 내민 얼굴을 마주하며 웃음으로 반겼다.

삶이 미워져도 결국은 찬란하게

발행 2024년 07월 07일

지은이 어떤 눈동자, 김효민, 얼렁뚱땅채작가, 앨리스, 백선이, 막삼(MAXXAM), 임유리, 희영

라이팅리더 양기연

디자인 조효빈

펴낸이 정원우

펴낸곳 글ego

출판등록 2022.04.12 (제2022-000125호)

주소 서울특별시 강남구 강남대로 118길 24, 3층(논현동)

이메일 writing4ego@gmail.com

홈페이지 http://egowriting.com

인스타그램 @egowriting

ISBN 979-11-6666-516-5